U0740170

NVREN JINGLUO
NVREN AIZIJI
CONG TIAOYANG JINGLUO KAISHI SHIYONG
SHOUCE

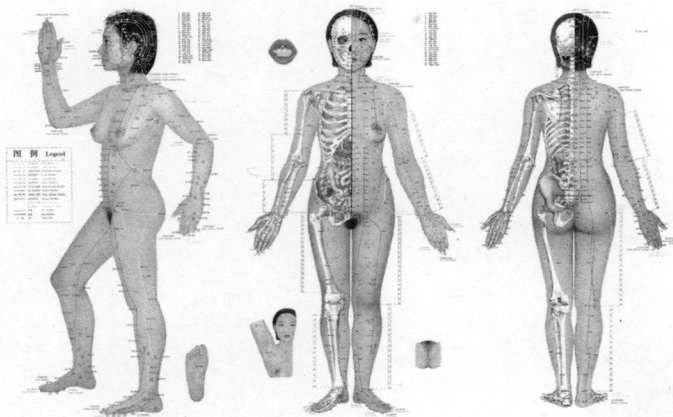

女人经络

使用手册

赵广娜　宿春君◎编著

哈尔滨出版社

经络让女人如花般绽放

女人，是一道靓丽的风景线，没有哪个女人不想做一朵永不凋谢的鲜花——拥有娇嫩如玉的肌肤、沉鱼落雁的容貌、曼妙性感的身材，还有永葆18岁的美丽娇颜和陪伴自己一生的好身体。

可是，上帝并不会垂青所有的女人，有些女人天生丽质，花容月貌，而有些女人却奇丑无比，不可一"视"；有些女人一生健康幸福，而有些女人却一辈子羸弱多病。她们想尽所有的办法，可再高级的化妆品也只能维持一时的鲜亮，再高端的整形技术也只能留住短暂的美丽，再昂贵的保健品和药品也只能保证她们暂时不被疾病侵袭，而不能留住永久的健康和幸福。

经络养生为女人的美丽和健康保驾护航，它开创了一个前所未有的新局面，它让女人美得自然，由内而外散发美的气息，并能让女人永葆18岁的娇嫩容颜，成就女人不老的梦想。香奈尔女士曾说："20岁之前的女人，上天赐予她容颜；30岁的女人，脸庞上留下了一些生活的印迹；而这之后的女人呢，容颜就掌握在她们自己手中。"经络养生让天下女人尽享美丽。

经络的每一个穴位都是灵丹妙药，就看我们会不会用它了，"命要活得长，全靠经络养"。经络保健适合任何年龄段的女性，能让女人的平均寿命延长10年，它是人类走向百岁健康的通行证，它能让你拥有健康的体魄，幸福的人生。

让植物人苏醒向来是医学界一个难以抵达的巅峰，最近有人就偏偏挂出了"植物人促醒中心"的牌子，说是针灸疗法专能啃这块硬骨头。针灸敢夸这么大的海口还不是有人撑腰——古老的经络学说是它的垫脚石。

经络真的有这么神奇吗？经络原本来自中医学，中医学认为人是大自然的化身，大自然是大宇宙，人就是小宇宙。地面上的江河、湖海、水的流畅，使整个环境保证了稳定；人体也应当有像地面上江河、湖海一样的气血流通的通道，这种通道中医就叫做经和络。经络的功能为：行血气、营阴阳、处百病、决死生。

人体经络流畅，也就保证了人体的健康和美丽，如果哪天气血流通的通道被堵塞了，我们身体上的某个部位一定会有所反映，或者面容暗淡无光，或者痘痘泛滥，或者疾病缠身，或者短命辞世……这个时候让经络按摩来解救你，它能最大化地调动和发掘你身体的潜能，将所有使你"不愉快"的"敌人"杀于无形。相信，只要你把经络养好，让你身体的各个部位都能正常工作和运转，你的身体就会健康起来，你就会面若桃花。为自己的身体开方子，健康和美丽自在手中，不要把美丽交给化妆品，不要让健康依赖于医生，凭我们自身的力量一样会让我们的身体之树不断发芽和开花，永远常青。

这是一本教授你通过敲经络以达到美容养颜、美体塑身、防治疾病目的的书。传授您一分钱不花，一学就会，一用就灵，一生受益的健康养生大法。相信，只要你学会使用经络并悟出穴位的深意，你就会拥有闭月羞花之"貌"，曼妙性感之"材"，青春不衰之"体"。

目 录

目 录

目 录

CONTETS

5

第一篇

不懂经络，
健康与美丽终究是水中月

Chapter1

第一章
走近神秘而伟大的人体经络

医学界的"百慕大"现象——经络医学

女性生活馆

一位40多岁的妇女患有类风湿性关节炎,经常性的关节肿痛使她苦不堪言。她吃过药,打过针,可丝毫没有效果。后来,经名医传授,她每天坚持做"颤抖功",没过多久,病情有了好转……

因为"颤抖功"能疏通全身经络气血,以预防经络气血不通,所以能治好这位妇女的类风湿性关节炎。

《天龙八部》中的六脉神剑,西毒欧阳锋逆转的经脉,以及热播的《武林外传》中的葵花点穴手,这些颇有噱头的武功真的这么神奇吗?

有人说,经络是中国的第五大发明,甚至认为认清了经络的实质就可以拿到诺贝尔奖,所以研究经络在东西方掀起了一波又一波的热潮。

令人惊诧的是,现代医学(西医)的解剖方法,似乎对认识经络根本无能为力。不仅手术刀不能帮助人观察到经络及运行于其中的"气",而且无论现代的哪一种精密仪器都无助于人观察。于是,不少人对经络与气的存在表示怀疑。中医的经络学说已被世人列为当今世界的科学之谜。

但是,现在,我们可以实实在在地感知经络的存在了。我国科学家用现代科学实验证实了经络的存在。中国科学院一位科学家设计了一套能测得几个光子的高度敏感仪器,发现隐性经络线是一些善于发光的线,它们发出的光子是非经络线的2.5倍;隐性经络是些低电阻线,其电阻比两侧的皮肤低;隐性经络线具有特殊的导音和发音性能,振动后能像琴弦那样发出高亢洪亮的声音;隐性经络线皮肤表面的温度有时与非经络线有很大的差别;注射示踪元素到皮下的经络线上,示踪元素将在经络线上沿经络扩散。

我国著名皮肤科学家、经络学者李定忠教授观察了 305 例循经皮肤病，发现皮肤的理论性病变是沿经络循行路线产生的。这一发现在国际医学界引起了巨大震动，日本还专门为李教授出版了专著《经络现象》。

站在实用主义的角度，我们可以好好盘点一下经络医学的定义。中医认为，经络是人体气血运行的通路，内属于脏腑，外布于全身，使各部组织、器官成为一个有机的整体。

健康风向标

经络和穴位的关系：如果把"经络"比做铁路线，那么"穴位"就是一个个车站。"穴位"位于同一条铁路的"经络"之上，因此经络运动的同时就能够刺激全身的穴位。

十二正经如江河，奇经八脉如水库

女性生活馆

小禾是经络养生的忠实崇拜者，她也试图了解身上的经络图，可是每次看到那些书籍，都头疼得要命，因为它们比教科书还难懂。有一天在网上，她和网友在切磋美容经验的时候述说了此番烦恼，可是网友告诉她：我们的身体就是一株由经络组成的大树。小禾回头一琢磨，还真是：经络主要由经脉和络脉组成。经，有径的含义，也就是主路，指的是粗壮的主干；络，有网的含义，指的是分支，指细小的横行枝杈。如此说来，我们的身体和大树没什么两样，吸收着养分，运行着气血，延续着生命。

经常有朋友反映说：经络的生理作用我们很相信，也很崇拜。可是，我们不过是一介草民，不是医学科班出身，也没有足够的时间来钻研。即使我们有心学习，也是有心无力，那些生涩的医学词汇让我们摸不着头脑，每每都是半途而废。

就像上面小禾的困惑一样，很多读者都说，既然经络看不见，也只有华佗那样的名医才能摸得到，我们如何感知自身的经络呢？

下面我们尽可能以诙谐的口吻为大家解说经络这张"人体活地图"，力争做到通俗易懂。

1. 经脉——谨防身体旱涝灾害

经脉是经络的主体，可分为正经和奇经两类。正经有十二条，奇经有八条，如果说十二正经是奔流不息的江河，那么奇经八脉就像个蓄水池。平时十二正经的气血奔流不息时，奇经八脉也会很平静地正常运行；一旦十二正经气血不足、流动无力时，奇经八脉这个蓄水池中的水就会补充到江河中；相反的，十二正经气血过多，过于汹涌，水池也会增大储备，使气血流动起来，只有这样，人体正常的功能才会平衡。这个道理说简单点就像洪涝灾害。

（1）十二经脉

正经有十二经，即手足三阴经和手足三阳经，合称"十二经脉"，是经络系统的主体。它们分别隶属于十二脏腑，各经用其所属脏腑的名称，结合循行于手足、内外、前中后的不同部位，并依据阴阳学说，给予不同的名称。十二经脉的名称为：手太阴肺经、手厥阴心包经、手少阴心经、手阳明大肠经、手少阳三焦经、手太阳小肠经、足太阴脾经、足厥阴肝经、足少阴肾经、足阳明胃经、足少阳胆经、足太阳膀胱经。

十二经脉是气血运行的主要通道。通过手足阴阳表里经的连接而逐经相传，构成了一个周而复始、如环无端的传注系统。就像奔流不息的河流，气血通过经脉即可内至脏腑，外达肌表，营运全身。其流注次序是：从手太阴肺经开始，依次传至手阳明大肠经，足阳明胃经，足太阴脾经，手少阴心经，手太阳小肠经，足太阳膀胱经，足少阴肾经，手厥阴心包经，手少阳三焦经，足少阳胆经，足厥阴肝经，再回到手太阴肺经。

手太阴肺经→手阳明大肠经→足阳明胃经→足太阴脾经→手少阴心经→手太阳小肠经

足太阳膀胱经→足少阴肾经→手厥阴心包经→手少阳三焦经→足少阳胆经→足厥阴肝经

（2）奇经八脉

奇经八脉是任脉、督脉、冲脉、带脉、阴跷脉、阳跷脉、阴维脉、阳维脉的总称。它们与十二正经不同，既不直属脏腑，又无表里配合关系，其循行别道奇行，故称奇经。其功能有：沟通十二经脉之间的联系；对十二经气血有蓄积渗灌等调节作用。

（3）十二经别

十二经别，是从十二经脉别出的经脉，主要是加强十二经脉中互为表里的两经之间的联系，还由于它通达某些正经未循行到的器官与形体部位，因而能补正经之不足。

2．络脉——警惕气血交通堵塞

络脉是经脉的分支，有别络、浮络和孙络之分，起着输布人体气血的作用。别络是主要的络脉。十二经与督脉、任脉各有一支别络，再加上脾之大络，合为"十五别络"。别络具有加强互为表里两经脉之间在体表的联系的作用。浮络是循于人体浅表部位而常浮现的络脉。孙络是细小的络脉。

（1）十五络脉

十二经脉和任督二脉各自别出一络，加上脾之大络，共计十五条，称为十五络，分别以十五络所发出的腧穴命名。其具有沟通表里经脉之间的联系，统率浮络、孙络，灌渗气血以濡养全身的作用。

（2）孙络

从别络分出最细小的分支称为"孙络"，它的作用同浮络一样输布气血，濡养全身。

（3）浮络

在全身络脉中，浮行于浅表部位的称为"浮络"，它分布在皮肤表面。其主要作用是输布气血以濡养全身。

这样一分析，人体经络运行图仿佛一张城市道路交通图一样呈现在你眼前，清晰明了，你就不觉得经络是多么复杂让人皱眉头的事情了。

人的情绪之气在体内有个喜欢的去处，那就是三焦经。因为肝经和胆经之间有通路，而胆经和三焦经内部也有通路，三焦是全身气的调度员，气的问题都归它管。

经络是脏腑和五官的镜子，更像是一对孪生子

女性生活馆

丽嘉最近食欲不振，什么都不想吃，看见肉类食物更是越发恶心，这样也使她的脸色变得枯黄而暗淡，本来瘦削的身体现在更是弱不禁风。后来，另一个同事告诉她晚上睡觉之前按摩大脚趾可以增进食欲，她试着做了，没想到效果还真不错。没几天，她的食欲大增，脸色也变得红润起来了。

现代医学研究发现，经络循行的部位与络属的脏腑有神经上的联系，所以它们之间的病理现象会有很多相似之处。

具体来说，经络与五脏六腑的关系：心经属于心脏，络于小肠；肝经属于肝脏，络于胆；肺经属于肺脏，络于大肠；肾经属于肾脏，络于膀胱；心包经属于心包，络于三焦；胃经属于胃，络于脾；大肠经属于大肠，络于肺；小肠经属于小肠，络于心；胆经属于胆，络于肝；三焦经属于三焦，络于心包；膀胱经属于膀胱，络于肾；阴经和阳经就这样交通相连，成为纵横交错的网络。

如果身体上的哪个部位出现问题，相对应的经络也会出现问题，也就是说当脏腑功能失调，经络就会出现堵塞现象，不通则痛，就会导致身体产生压痛点"阿是穴"无规律地出现。例如，肝经太旺的人平时喜欢生气，因为肝经主怒，女士就容易患乳腺增生，因为肝经循行经过乳房，这样的话就可以敲肝

经来平息怒气和防止乳腺增生的发生。这也体现了人的身体是一个整体，所谓牵一痛而动全身。中医讲究整体，通过按摩经络，对身体内的脏腑进行调节疏通，补其不足，减其过剩。这种自我调节是人体本身具有的伟大功能，只不过需要我们通过刺激、点拨经络来唤醒罢了。

另外，经络和五官七窍也有着相对应的关系，例如，肺经通鼻，肺有疾病，容易影响鼻子的功能，这时就要敲肺经；肝经通眼睛，容易影响视力，近视者，可以常敲肝经，就是敲小腿内侧。上面的案例中，丽嘉之所以可以通过按摩脚趾来增进食欲，是因为大脚趾是肝、肺两经的通路。多活动大脚趾，可舒肝健脾、增进食欲，对肝脾肿大也有辅助疗效。

可以看出，经络与脏腑、五官是相互影响的，一个人的脏腑器官或五官有病，整条经络都会出现异常。

※ 健康风向标

感冒后耳朵堵得厉害，这个时候没有必要服药，只要祛掉风邪就好，每天依次按揉双侧风池和耳门两穴3分钟，一周之后，耳朵自然会恢复正常。

经络能决生死，处百病

女性生活馆

一个老太太，讲了一件她亲身经历的事。她说："我小时候，经常胃脘痛。一天，我又胃脘痛，坐在村头的一棵大树下。这时来了一个老头，走过来对我说：'你肚子痛是吧？来吧，让我给你扎一针就好了，而且，这一针能保你30年不再肚子痛。'老头拿出一根有半尺长的针，在我肚子上扎了一针。扎完老头就走了，我的肚子也不疼了。从那以后，30多年过去了，我的肚子真的再没疼过。"

通经络是女性养生的最高境界，也是女性养生的基本原则。关于经络之于人体健康的作用，在2500多年前的《黄帝内经》中就有了系统的记载，这本被称为"人体健康圣经"的千年宝书对人体经络的作用推崇备至，如《灵枢·经脉篇》里说："经脉者，所以能决生死，处百病，调虚实，不可不通。"这里的不可不通，即是再三强调人体之经脉必须畅通，原因是经脉"能决生死，处百病，调虚实"。为什么这样说呢？

1. 经络决生死

首先看"决生死"。就是说经脉的功能正常与否，决定了人的生与死。《灵枢·海论》说："夫十二经脉者，内属于脏腑，外络于肢节。"《灵枢·本脏》说："经脉者，所以行血气而营阴阳，濡筋骨，利关节者也。"这些都非常清楚地说明了经络在人的生命活动中所起的重要作用。人之所以成为一个有机的整体，是由于经脉纵横交错，出入表里，贯通上下，内接五脏六腑，外至皮肤肌肉。若没有经络的这种沟通和联系，人体的各组织、器官又靠什么濡养呢？人体气血，贵乎流通，才能使脏腑相通，阴阳交贯，内外相通，倘若气血不流通，脏腑之间的各种联系就会发生障碍，疾病即发生，严重者可导致死亡。

2. 经络通处百病

其次看"处百病"。这里是说经脉之气运行正常对于疾病的治疗与康复所起的重要作用，大医学家喻嘉言说，"凡治病不明脏腑经络，开口动手便错"；《灵枢·九针十二原》里说，"通其经脉，调其血气"。上述理论都高度概括地说明了疾病的治疗、病体的康复，都必须从经络入手。众所周知，疼痛是人们患病后最常见的症状之一。究其原因，中医认为是"痛则不通，不通则痛"。只有经脉畅通，才能运行气血；只有气血周流，病人才能得到治疗，以至康复。

3. 经络调虚实

最后谈"调虚实"，调是调整，虚实是指症候，不是虚证，就是实证，人们患病后常常用虚实来概括说明症候的性质。中医学认为，"邪气盛则实，精气夺则虚"。实证，即是病邪盛而正气未虚，正邪斗争激烈所表现的症候；虚证，即是正气虚衰，机能减退，抵抗力低下所表现的症候。《灵枢·刺节真邪篇》里说"泻其有余，补其不足"，有余是指实证，不足是指虚证。对实证要用泻法，如患胃痉挛的，针刺病人足三里穴，可使胃弛缓；对虚证要用补法，如胃弛缓的，针刺病人足三里穴，可使其收缩加强。当然，由于虚实证不同，尽管都针刺足三里穴，但采用的手法不一样，一个用泻法，而另一个用补法。这个例子说明，经络有调整虚实的功能。

　　总之，保持经络的畅通是非常必要的，这是一条重要的养生原则，要时时刻刻使自己的经络之气畅通。

❋ 健康风向标

　　像我们这样的养生"菜鸟"，如何保持经络畅通呢？

　　具体地说，以下方法有畅通经脉的作用：

　　一是要运动。因为"动形以达郁"，"动则不衰"，"流水不腐，户枢不蠹"，所以只有动，气血才能周流全身。

　　二是常练气功。气功中的"周天运转法"、"升降开阖法"就是能使经络之气正常地循经络运行的重要功法。

　　三是要常吃一些能够理气活血的药物和食物，如陈皮、木香、砂仁、四磨汤、越鞠丸、当归、川芎、桃仁、红花、油菜、黑大豆、慈姑等。

　　四是要心情愉快。因为"愁忧者，气闭塞而不行"。不管发生了什么不愉快的事情，也要想得开。

经络是预测疾病的最佳选择

　　有这样一个故事：扁鹊是春秋时期的一代名医，他到齐国时，看到蔡桓公有小病在腠理，多次劝他治疗，蔡桓公从来不听。到最后扁鹊看到蔡桓公就跑了，蔡桓公不明白为什么，派人去问扁鹊为什么看见他就跑，扁鹊说："他的病已经由皮肉之间一步步发展到了骨髓，已经没救了。"果真，几天后，蔡桓公真的撒手人寰了。看完这个故事，我们可以知道，经络真的可以预测疾病。

　　经络是身体的一个通道，能通内达外，也是疾病转变的途径。人体在生病时，许多症状可以反映在经络的走形上，古代中医的察"颜"观色就是利用经络这种特点看病的最好见证。

　　人体的各个器官，每时每刻都在运行变化着，一旦发生疾病就会通过种种症状在经络的行走路线上，给我们发出报警信号。如果我们能够关注经络，重视这些信号，就能够及早预防和治疗疾病，从而减少疾病对我们生命的威胁，保证我们的身体健康和正常生活。

　　人可以通过经络感能现象获得疾病信息，因为经络是联系人体脏腑的桥梁。经络感能现象是内脏有病，可以在与其相通的经络沿线反映出来，具体是出现酸、麻、胀、痛或热感、冷感，或者是出现红线、白线、痘疹带、汗带或其他感觉异常现象，如过敏线、湿疹、痣等。如有人报道甲状腺癌在手术之前，经络感能可到颈部甲状腺区，手术后开始消失。用经络测定仪是可以感觉到肿瘤的。

　　经络感能还存在着这样的现象，即兴奋的病如高血压、甲亢、过敏性疾病及躁狂症会增强敏感性，反之，抑制性疾病就会降低敏感度，如低血压、甲减、肾减、抑郁症等，可见经络感能现象与个体差异很大。

另外，清晨刚睡醒状态下可以加强对经络感能的敏感度，所以如果清晨发现上述经络感能信息，应就医进一步检查。

通过脸色看一个人的身体状况也是经络预测疾病的最好证明。因为心主血脉，其华在面，面部血脉丰盛，人身"十二经脉，三百六十五络，其血气皆上于面而走空窍"。也就是说面部的色泽是血气通过经络上注于面而表现出来的，气血的盛衰及运行情况，必定会从面色上反映出来。中国健康人的面色通常是微黄，显红润而有光泽，如果红润而无光泽，说明身体血足，但缺乏运动，脸上有光泽但没有血色，说明身体气足，但睡眠不足。

脸色苍白是贫血、慢性肾炎、甲状腺功能减退等疾病的征兆；脸色发黄是脾虚的表现，如果突然出现脸色变黄，则很可能是肝胆"罢工"的迹象，急性黄疸型肝炎、胆结石、急性胆囊炎、肝硬化、肝癌等患者常会发出上述"黄色警报"；脸色发黑是肾虚的表现，应适当多吃一些补肾的食物，如核桃、黑芝麻、枸杞等。

我们看这样一个例子。一位45岁的肝癌患者诉说自己的发病情况："几个月前，我天天有应酬，天天要喝很多酒，有好几次因为喝酒太多而不省人事。后来我的脸色就发黄，白眼球也发黄，家里人都劝我去医院查一下。开始我没有理会，可后来我发觉脸色一天比一天黄，于是去医院检查，没想到患了肝癌。"

可见脸色可以预测疾病，当我们的脸色与往常或跟别人比起来有异常时请尽早去医院检查，不要贻误治疗时机。

健康风向标

乘坐公交车上下班，是锻炼脚底的良好机会。锻炼方法非常简单，就是跷起脚站立着，这样可以强内脏，开始的时候可能不习惯，可以先让双脚的脚后跟稍稍离开地面。习惯以后，可用双脚的脚尖站立，最后过渡到跷起一只脚的脚尖站立。

Chapter2

第二章
通经络让女人美如花

天天给自己推拿比吃人参还补

女性生活馆

一个 16 岁的女孩发高烧，体温达到 40℃。她的妈妈带她去医院打点滴，可是依然高烧不退，这可急坏了她的妈妈。情急之下，医生给她推六腑，也就是推前臂阴面靠小指的那一条直线，从肘推向腕，推了几百次，女孩有了明显的好转，一量体温 38℃，这就是推六腑退热的神奇效果。医生笑着说："推拿比用药、打点滴还有效呢！"

中药有四性：寒、热、温、平。推拿中的推、拿、揉、掐与中药四性相对应，所以说用推拿就是用药。

1. 推六腑，可以代替羚羊角和滑石，退热的效果非常好

发高烧是生活中常见的一种症状，有时候让人束手无策。其实，推六腑就能让你退烧，比打针吃药可能会更有效，重要的是它更方便、更省时省力。

2. 推小指面具有补肾的效果

如果女性肾不好，想要补肾，最好的办法就是推小指面，它能增强体质、提高免疫力，并能填补肾气，绝不比吃地黄、杜仲差。

3. 旋转大拇指面上的脾经，可以大补元气

如果女性体弱多病，或者大病初愈，或者刚生完孩子，就可以旋转大拇指面上的脾经，可以大补元气，不比吃人参、白术差，更何况这也是最廉价的，相当于免费吃人参。

4. 推大肠经，能治疗腹泻

现在很多女孩子都喜欢吃凉的东西，比如冰激凌、冰镇饮料等，还经常暴饮暴食，食无定时，所以会损伤脾胃，造成腹泻，长此以往会罹患肠胃病。

这时候你可以通过推大肠经来补救，从食指推到虎口，就可以手到病除。

5. 推三关，可以治疗感冒

感冒对于每个女性来说都是经常发生的一种小病，病虽小，但也给患者带来了痛苦，还会耽误工作和学习。如果你感冒了，不应该先想到吃药打针或点滴，应该先想到推三关，就是推前臂阳面靠大拇指的那一直线，用大拇指或食、中指指肚从腕推向肘，一直到手臂微微发红为止，这样治疗感冒的效果非常好。

可见，推拿之术可谓是既方便，又有实效，还不会带来任何副作用的方法，实在是女性自身达到药效的"魔法"。天天给自己推拿比吃人参还补，所以不要犹豫和怀疑了，赶快加入经络推拿的行列，它带给你的将不仅仅是健康，还有幸福和美丽。

❋ 健康风向标 ➡

　　　　向指尖方向推中指泄肺，相当于吃桑皮、桔梗，宣肺清热；向手掌方向推则能止咳，效果等同于吃五味、冬花，补肺止咳。

经络是行血气、营阴阳的关键

❀ 女性生活馆 ❀

　　丽娜是个新潮的物质女孩，逛街是她唯一的嗜好。每个周末，她都会一大早起床，从东城到西城逛个遍。女孩子想要漂亮，就一定要学会淘衣服，可是一整天下来，回到家里，浑身像散了架。

　　不过，上周日她发现了一个逛街族缓解疲乏的快捷方法：坐在沙发上，把手自然放在腿上，由上往下推。忽然找到了武侠小说上那种很玄的感觉，虽然两腿有些酸痛，但是惬意多了。她也不知道为何，或许就是中医学上的经络疗法吧！

是的，这个"无知"女孩无心插柳柳成荫，她哪里知道，自己随心所欲的做法其实是在推捋经络。拇指和中指的位置就相当于足太阴脾经和足阳明胃经的循环路线。在中医理论中，脾主四肢肌肉，推捋脾胃经可以疏通这两条经的经气，从而达到放松肌肉的效果。

中医把经络的生理功能称为"经气"，其生理功能主要表现在沟通表理上下，联系脏腑器官；通行气血，濡养脏腑组织；感应传导；调节脏腑器官的机能活动等四个方面上。

人体由五脏六腑、四肢百骸、五官九窍、皮肉筋骨等组成，它们各有其独特的生理功能。只有通过经络的联系作用，这些功能才能相互配合、相互协调，从而使人体形成一个有机整体。

气血是人体生命活动的物质基础，必须通过经络才能输至周身，以温养濡润各脏腑、组织和器官，维持机体的正常生理功能。

经络有感应刺激、传导信息的作用。当人体的某一部位受到刺激时，这个刺激就可沿着经脉传入人体内有关脏腑，使其发生相应的生理或病理变化。而这些变化，又可通过经络反映于体表。针刺中的"得气"就是经络感应、传导功能的具体体现。

经络能调节人体的机能活动，使之保持协调、平衡。当人体的某一脏器功能异常时，可运用针刺等治疗方法来进一步激发经络的调节功能，从而使功能异常的脏器恢复正常。

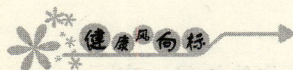

※ 健康风向标 ➤

酸和痛都表示经络尚畅通，但在该处狭窄或有拥堵，流通不畅。酸多表示气血虚弱，需要补，不可采用过强手法。麻表示经络还通，只是气到血未到。而刺痛则表明该处有气血在，却堵住了，气血正在努力冲撞，此时可用力度稍大的手法帮助疏通。

经络美容让女人实现由内而外的美

女性生活馆

　　每一位女性朋友都希望拥有美丽的容貌和匀称的身材。为了实现这个梦想，世界各地的女性朋友运用各式各样的方法，无时无刻不在与美作"斗争"。时髦的整形手术，眼花缭乱的化妆术无不体现着女性对于美的无限追求。但是，在各种美容法大行其道的同时，由美容而带来的副作用也是我们不得不面对的一个严峻问题，经络美容可让你实现健康与美丽"双丰收"。

　　"爱美之心，人皆有之"，谁不希望自己拥有完美的身材和漂亮的脸蛋？爱美的人们挤出时间、省下金钱，纷纷去美容院实现自己的梦想。而更多的人只能在家里凭着自己对美容的一知半解，涂啊、抹啊，甚至切番茄、刨黄瓜、榨柠檬，忙中偷闲，暗暗地下着"面子"上的工夫。然而，因未能掌握美容的真谛，常常事倍功半，甚至徒劳无功。那应该怎么办呢？怎样才能找到适合自己的美容良方？答案就是刺激经络可以达到美容养颜的目的。

　　人体五脏六腑、内分泌腺、血管等的活动，无不受自律神经的支配，自律神经遍布全身，直接反映内脏机能的活动。皮肤粗糙、雀斑、皱纹、青春痘等肌肤问题都是脏腑机能失去平衡的表现。但是，只要刺激人体的自律神经，增强其他机能的活动能力，就可使脏脏功能恢复正常。

　　经络美容法就是根据经络控制自律神经，联系五脏六腑的理论，对相应的经络部位施以适当刺激，进而达到美容的目的。由于女性对皮肤的触摸特别敏感，而且敏感的时间特长，经络美容法不仅能美化女性肌肤的外表，还能彻底消除妨碍女性肌肤美的隐患，促进肌肤发生质的变化，使女性无须在本身秀丽的肌肤上过多化妆，就会显得自然脱俗、光彩照人。"只有实现了内在的健康，才能实现外在的美"，这是经络美容理论的核心。

经络美容法是通过对人体的阴经中的肾经、肝经，阳经中的胃经、大肠经、小肠经、三焦经、膀胱经的刺激，来达到美容的目的。

刺激膀胱经可改善胖的体质，改善因子宫发育不全或妊娠期、产褥后引起的雀斑，改善皮肤过敏等；刺激肝经可以祛除肥胖者的雀斑，改善灰黑色的皮肤，并能减肥；刺激胃经可以防止皮疹，令皮肤白嫩、改善瘦弱体质；刺激三焦经可以预防化脓，治疗粉刺，提早消除皮肤疾患；刺激小肠经和大肠经，可治愈皮疹，改善瘦型体质；刺激肾经可以去除瘦型体质的雀斑。

除了刺激经络外，还可以刺激穴位，即在经络上，对于自律神经特别有强刺激的点位，用指压作强刺激或用电刺激。此外，用毛刷或手掌刺激肌肤表面也可。

健康风向标

仰卧，举起双腿，以踏自行车姿势凌空踩踏。伸腿时要直，腰用力，屈腿时力求大腿靠近腹部，左右交替反复30次。动作要有节律，不可过快或过慢，这样可使大腿更健美。

经络按摩能救女人于危难之间

女性生活馆

对于每个女人来说，分娩可以说是一生中最痛苦和最艰难的事情，看到电视里面女人分娩时的痛苦场景更是不寒而栗。一本杂志上有这么一段话："为了使分娩顺利进行以及减轻女性的痛苦，在家中可以实行单一性的安胎按摩，就是适当地揉搓小趾。因为小趾是与子宫和膀胱等器官相联系的，子宫的功能不活跃或异常，是难产的原因，因此只要刺激并锻炼小趾就可以增强子宫功能，并且顺利地生下婴儿。"

看到这段，我深深地把这个秘诀记在心里，然后告诉那些将要生产的朋友。后来她们反映效果非常好，我突然感到很幸福，因为我让很多女人减轻了分娩时的痛苦，不由得感慨："经络按摩真的能救女人于危难之中啊！"

女人是人类社会的"半边天"。她们在现代社会的政治、经济、文化领域中起着越来越重要的作用，与男人共同创造了人类的物质文明和精神文明。女人更是担负着延续人类社会的重任，她们哺育了一代代的新生命，推动了历史的前进。在家庭中，女人是母亲、是妻子，她们是家庭的组织者和支撑者。因此我们说，女人是伟大的。

女性肩负着事业和家庭的两副重担，工作竞争之激烈，家庭责任之繁重，使女性承受着巨大的压力，因此女性的健康问题日益突显。据医生介绍，乳腺癌、宫颈癌、高血压、糖尿病、乳腺增生、便秘、月经不调等疾病已呈现出发病率升高、发病时间提前的趋势，成为危害女性健康的主要原因。除此之外，现代都市白领们还面临着重大的工作和生活压力，相关疾病也随之而生，如颈椎病、腰肌劳损、失眠、亚健康等。医生提醒此现象应该引起女性和整个社会的关注。

虽然现在的医学技术很发达，但是我们也不可能把医生24小时带在身边，身体不舒服了医生也不能马上为你解决。所以如果哪个女人正忍受着疾病所带来的痛苦，但又不能及时送往医院，或者即使去医院也不能起到很好的作用，那她们该怎么办呢？经络按摩可以救女人于危难间，只要适当、正确、科学地按摩经络就能达到手到病除的效果，最起码也能起到缓解病情和痛苦的目的。所以，女人一定要掌握一些运用经络、穴位来进行自我保健和预防疾病的方法，这样不仅等于有了个随身的保健医生，还能救自己于危难间，既方便又省钱还省时，何乐而不为呢？

健康风向标

颈部是人体经脉通往头部和肢体的重要通道。每日早晚按摩颈部的天柱穴60次，有防治颈椎病、血管性头痛、脑血管病等功能。

敲经络能让女人的平均寿命再延长十年

女性生活馆

北京某医院的李凤霞老大夫，在她109岁时，有人请教她长寿的秘诀。她就叫大家每天按摩手上5个穴位，即商阳、合谷、列缺、内关和外关，一天3次。她说："你们只要学会按摩这5个穴位，以后就不要来找我了，伤风感冒等一般常见病就不再得了，就是有点儿小病，按摩这些穴位也就自己能治了。我能健康活到今天，全靠按摩这5个穴位。"

人们有许多寻求长寿的方法和经验，如运动、武术、针灸、按摩、减肥、气功、药物调养以及诸如心胸开朗、积极乐观等心理健身之法，可能不下数百种，但是所有这些办法有没有一个共同原因在起着主要作用呢？

医学研究认为：经络的存在，是各种长寿方法产生作用的关键，它在人体内起总调度、总开关、总控制作用，无时无刻不在控制人的身体健康。早在2500年前，祖国医学就有了经络学说，其中，《内经·经脉篇》说，经络可以控制人体功能，具有"决死生、处百病"的作用。经络学说并非是无稽之谈，现在，科学实验证明这个说法完全正确。

经络的存在和利用被科学证实后，不仅给针灸疗法而且也给流传的几百种民间疗法找到了科学根据。原因是尽管民间疗法形式多种多样，而其根本的作用原理仍然是由于体内控制健康的经络系统发挥着"行血气、营阴阳"的作用，又通过各种途径战胜疾病，从而达到医疗保健的效果。

人类的保健长寿是不是一定要求助于医生，以及采用各种措施如用药和各种民间疗法才能达到呢？很多长寿老人是不是都掌握这些方法呢？回答当然不是。因为只要一个人还健康地活着，这个人的经络就时刻伴随着他，而他在日常生活的过程中，不自觉地在长期锻炼着自己的经络。这就是人类健康的源泉。

不要把自己的身体全部交给医生，经络就是我们的随身御医。任何疾病的发生都是由于经络阻塞引起的。让我们的全身通畅起来，经络是运行身体内气和血的通路。经络畅通，就是健康的关键、祛除疾病的关键。人生病就是因为不注意保养自己的经络，因此，命要活得长，全靠经络养。疏通经络能够让你的容颜不老，能让人的平均寿命至少再延长十年。

✳ 健康风向标 ➜

三个长寿穴位包括：合谷穴、内关穴和足三里穴，这三个穴位对治疗全身的疾病都有作用。人没有生病的时候，可以每天每穴按摩2次，总按摩时间为5分钟。也可以每个穴位按摩100下，这样不但可以提高免疫力，还能使你健康长寿。

第二篇

按摩经络，做个美丽俏佳人

Chapter1

第一章
经络通，做个气血通畅的暖美人

气血冲和，则百病不生

女性生活馆

相传，慈禧怀孕时曾胎漏出血，时作时止，虽遍请名医诊治，但都毫无疗效。眼见她的病情越来越严重，唯恐胎儿难保，这可急坏了一直没有子嗣的咸丰皇帝。正在这时，山东东阿人户部侍郎陈宗妫奏告咸丰，建议慈禧服用东阿邓氏树德堂所产的阿胶治疗。慈禧听从他的意见，服下阿胶，果然血止病愈，后足月顺产一个男婴。这个男孩就是后来的同治皇帝。咸丰皇帝因感念邓氏进献阿胶有功，特赐"福"字作为树德堂的品牌。从此，福字牌阿胶便成了宫廷御用药品，并声名鹊起。

人的生命是一个发展变化的过程：出生，发育，壮盛，衰老，死亡。中医学对人生历程就有详细的描述："人生十岁，五藏始定，血气已通，真气在下，故好走；二十岁，血气始盛，肌肉方长，故好趋；三十岁，五脏大定，血脉盛满，故好步；四十岁，五脏六腑十二经脉皆大盛以平定，腠理始疏，荣华颓落，故好坐；五十岁，肝气始衰，目始不明；六十岁，心气始衰，故好卧；七十岁，脾气虚，皮肤枯；八十岁，肺气衰，魄离；九十岁，肾气焦。"形象地概括了人处于各阶段的生理变化，论述了气血对于人体的重要性。

朱丹溪曰："气血冲和，万病不生。"就是说当人身上的气血达到平衡、协调、通畅、有序的冲和平衡状态之时，就能保持精力充沛，使得身心舒畅，体魄强健，益寿延年。

在中医学上，"气"是个非常重要的概念，因为它被视为人体的生长发育、脏腑运转、体内物质运输、传递和排泄的基本推动能源。俗话说的"断气"表明一个机体的死亡，没有气就没命了。故《庄子·知北游》谓："人之生也，气之聚也，聚则为生，散则为死。"

　　如果我们体内的"气"不好好工作的话，我们的身体就会生病，表现出各种症状："气滞"、"气郁"、"气逆"、"气陷"等。

　　"气滞"——就是气的运行不畅，最典型的症状就是胀痛。根据气滞的部位不同，出现的胀痛部位也不同。比如：月经引起的小腹胀痛，这是典型的气滞引起的妇科疾病。

　　"气郁"——指的是气结聚在内，不能通行周身。如果气郁结在内，不能正常运行，我们人体脏腑的运转，物质的运输和排泄都会出现一定程度的障碍。如：胸闷憋气，妇女冬天经常会感到手脚冰冷，其实就是因气运行不畅导致的。所以，冬天一定要多吃、多运动才能保证气血的正常运行。

　　"气逆"——指的是气在体内上升太过、下降不及给人体造成的疾病。气在人体中的运行是升降有序的，上升作用能保证将体内的营养物质运输到头部，维持各脏器在体内的位置；下降则使进入人体的物质能自上而下地依次传递，并能将各种代谢物向下汇集，通过大小便排出体外。如果上升作用过强就会使头部过度充血，出现头晕头涨、面红目赤、头痛易怒、月经过多、两肋胀痛，甚至昏迷、半身瘫痪、口角歪斜等症，下降作用过弱则会使饮食传递失常，出现泛酸、恶心、呕吐等症。

　　"气陷"——和"气逆"正好相反，是指气上升不足或下降太过。上升不足会导致头部缺血、缺氧或脏腑不能固定在原来的位置，出现崩漏、头晕、健忘、眼前发黑、精神不振等症；下降太过则会导致食物传递过快或代谢物过度排出，从而出现腹泻、小便频繁等症。

　　上面讲了人体的重要物质——气，那接下来就不得不讲一讲"血"。

　　血对人体最重要的作用就是滋养，它携带的营养成分和氧气是人体各组织器官进行生命活动的物质基础。血对女人来说尤为重要，血充足，则人面色红润、肌肤饱满丰盈，毛发润滑有光泽，精神饱满，感觉灵敏，活动也灵活。因为血是将气的效能传递到全身各脏器的最好载体，所以中医上称血为"气之母"，又称"血能载气"。

　　如果"血"亏损或者运行失常就会导致各种不适，比如：失眠、健忘、烦躁、惊悸、面色无华、月经不调等等。长此以往必将导致更严重的疾病。

　　气、血是构成大体生命、生理活动的基本物质，尤其是对气、血的调养对女性来说特别重要。由于女性的生理特点，来月经时血液会有一定量的消耗和流失，加之经期情绪、心理的变化，身体中的雌激素分泌降低，月经失调也就时常发生。随之而来的肌肤变化可想而知，肤色暗淡，眼圈发黑，还有满脸的痘痘。花容失色，令人苦恼。经期调节内分泌，提高荷尔蒙水平，补气养血从根本上调经理血，当然也是拥有娇美容颜的养颜之本。

　　如何做到气血充合，百病不生呢？其中最有效、最省力、最省时的办法就是经络锻炼，它能使女人的气色好上加好，能让女人永远拥有18岁的娇美容颜。

✳ 健康风向标 ➜

　　女性保养气血，首先要有平和的心态。心情愉快、开朗乐观，不仅可以增强机体的免疫力，有利于身心健康，同时，还能促进造血机能更加旺盛，使面色红润、经血调畅、精力充沛。

经络锻炼"312"，气血通畅强身体

女性生活馆

　　好久没见到好友敏梵了，不过今天终于可以见到她了。一见面，她就让我大吃一惊，红润的脸蛋白嫩而细腻！"最近气色怎么这么好，是不是人逢喜事，把自己嫁出去了？"我调侃着。"哈哈，这倒没有，不过我气色现在这么好完全得益于锻炼经络。"她笑着说。"经络有这么神奇啊？"我惊奇地问。"当然了，开始我也不相信，可是它真的改变了我，让我年轻了好几岁。"看她自信骄傲的样子，我也心痒痒了，立志让经络给自己一副美丽的容貌。

健康、青春、活力，是每个人都想追求的。哪个女人不想自己身体健康，面红齿白，貌美如花？但现实总是很无情和残酷的，上帝也不会把所有的美丽奉献给每个女人，那些不被垂青的女人总是气血不通。她们体弱多病、面容憔悴、肤色暗淡、精神委靡，更没有事业可言、魅力可谈。因为这些她们失去得太多，无奈和恐慌时刻侵袭着她们。谁能挽救这些即将枯萎的花朵？经络锻炼312可以成就女人的魅力梦想。

经络是气血运行的通道。只有经络通畅，气血才能畅通无阻地营运于全身。只有经络通畅，才能使脏腑相通、阴阳交贯，内外相通，从而养脏腑、生气血、布津液、传糟粕、御精神，以确保生命活动顺利进行，新陈代谢旺盛。所以说，经络以通为用，经络通畅与生命活动息息相关。一旦经络阻滞，则影响脏腑协调，气血运行也受到阻碍。因此《素问·调经论》说："五脏之道，皆出于经隧，以行气血。血气不和，百病乃变化而生。"所以，通畅经络往往作为一条养生的指导原则，贯穿于各种养生方法之中。

长期从事经络研究的北京炎黄经络研究中心主任祝总骧教授，据此总结出了一种简便易行的"312"三种不同的经络锻炼方法。

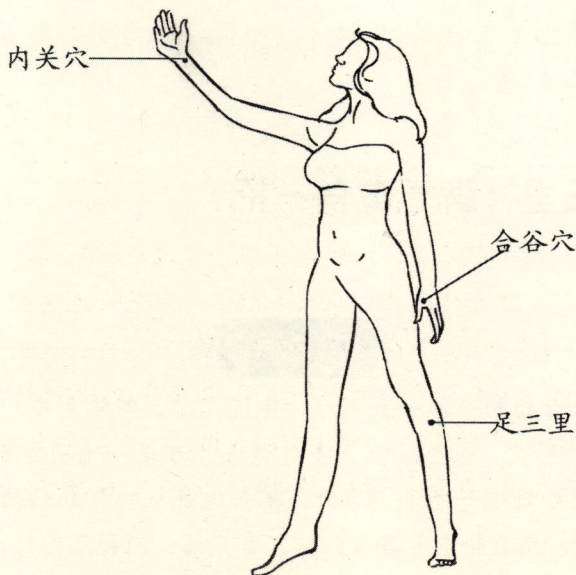

内关穴

合谷穴

足三里

"3"是指每天早晚两次按摩合谷、内关和足三里3个穴位，按压频率约为每分钟30次，每次按摩5分钟，以达到酸、麻、胀感觉为有效。其原理是直接激活人体最主要的三条经络，使全身气血畅通。

"1"是指一个以腹式呼吸为主的基本气功锻炼，仍旧是每天早晚各两次，每次5分钟。其原理是通过静态的思想集中，调动全身，尤其是腹部经络的活动。调整五脏六腑的血气运行，达到阴阳平衡。

"2"是指进行以两条腿为主的自觉体育锻炼，每天一次，每次5分钟。

算下来，每天只要用25分钟，通过三种不同的方式，有计划地激发经络系统，就可收到强身健体的效果。在锻炼中，要努力找准自己的反应点，不断探索适合自己的动作部位、力度和操作时间，同时注意保温、食疗、节食，使身体真正受益。

健康风向标

腹式呼吸是一种以"静"为主的全面经络锻炼，对各种疾病，如高血压、失眠、糖尿病、胃炎、肥胖等脏腑疾病的防治均有效果，坚持做腹式呼吸，可使人精力充沛、青春常驻。

脾俞、足三里补脾气虚有一招

女性生活馆

邻居一位老奶奶身体一直不好，体虚气短、四肢无力，一到冬天就"冬眠"，不出屋了。她也很想出去透透气，可是一出去就会大病一场，所以她只能在屋里过一冬了。后来，不知道她从哪得到的秘方，最近一阵子能出来了，而且脸色也异常红润，有光泽，问她原因时，她笑着说："之所以有今天，全靠经络按摩补脾气。"

P.18　经络养生

　　膀胱经 = 减肥

　　肝经 : 淙浴 减肥

　　胃经 : 皮肤白 改善体质

P.19　搓搓 揉揉 助产

20　每日早晚按各(?)天柱穴

　　60次。防治颈椎病、血管

　　性头痛、脑血管病等。

健康长寿5穴 : 肩髃、合谷、

　　列缺、内关、外关 —天3次

　　防常见病、治小病。

21、益寿二穴 : 合谷、内关、足三里

　　一天2次, 每次各100下.

24、生长过程

25　气 : 气滞、气郁、气逆气陷

　　血 = 流畅。要充足、不了瘀损

8.　312 锻炼法 : (气血畅通. 调?)

　　3 = 早晚 按摩3穴 5分钟

　　1 = 腹式 呼吸 早晚各 5分钟

　　2 = 每天一次 5分钟. 腿部运动

9.　养身健腰 : 肾俞(昭?)足三里

52715 SALE   9778 3552 002

STARLIGHT PAPER ST 009350   1.00 N
          TOTAL   1.00

    CASH TENDER   1.00

TOTAL COUNT OF ITEMS: 1
YOUR CASHIER WAS: THUY

9120081102355200297788

足三里:饭前发生上时多3分馆

        PLEASE NOTE
Retails ending in "1"or"6" are
FINAL SALE products
   (No Refunds*No Returns)

Order on-line : www.toysrus.ca
                www.babiesrus.ca
Order by phone: 1-800-toysrus

****

                    11/02/08 17:11

说起脾虚，想必很多人还是一头雾水，其实这种症状很常见：脘腹胀满，食后更甚；口不知味，甚至不思饮食；大便溏薄；精神不振；形体消瘦，肢体倦怠；少气懒言；面色萎黄或苍白；肢体浮肿；舌淡

足三里

脾俞穴

苔白；脉缓软无力。这些表现体现了两个方面的病理变化：一为脾脏运化功能减弱，脾失健运，精微不布，水湿内生，故纳少腹胀、便溏；脾虚失运，水湿泛滥，故肢体浮肿。二为气血生化不足，脾主四肢肌肉，脾气不足，肢体失养，故肢体倦怠；气血亏虚，中气不足，故精神不振，少气懒言，形体消瘦，面色萎黄。不同年龄，脾气虚证的临床表现有所不同：婴幼儿脾气虚证，多表现为消化不良、呕吐、肚腹胀大、身体消瘦、面色萎黄；年老体弱或大病、久病者见脾气虚证，多表现为身体沉重、四肢无力、倦怠嗜卧或消瘦乏力、语声低微、面色萎黄。

脾气虚证的治疗以益气健脾为主，在经络治疗方面，应该选用脾俞和足三里两穴。

脾俞：是足太阳膀胱经的穴位，是脾脏的精气输注于背部的位置，和脾直接相连，所以刺激脾俞可以很快恢复脾的功能。

《针灸大成》中说它可治"善欠，不嗜食"，也就是老打哈欠，总是昏昏欲睡。

刺激脾俞最好的办法是拔罐，其次是按揉，也可以艾灸。但是因四季的不同，采用的方法也有所不同。早春和晚秋最好拔罐，夏末和冬季应该艾灸。夏冬两季艾灸不但可以温补脾气，还可以祛湿，尤其是夏末，这时候的天气有湿有寒，艾灸最为合适。其他时候则以按揉为主。

每天晚上8点左右刺激最好，因为这是脾经精气最旺盛的时候。这时，一

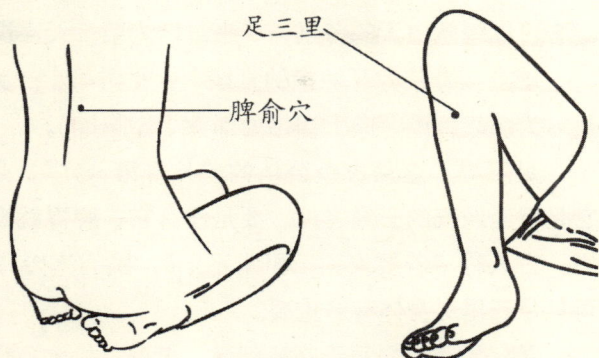

天的工作已基本结束，而且运转了一天的"脾气"已经有些疲惫了，这时补，一来可以缓解白天的劳累，二来可以为第二天蓄积力量。

脾俞在脊柱旁开两指的直线上，平对第十一胸椎棘突（肚脐正对着脊柱的地方为第二腰椎，向上四指处即为十一胸椎）。

足三里：这是古今公认的"长寿第一穴"，是胃经的合穴，"所入为合"，它是胃经经气的必经之处。要是没有它，脾胃就没有推动、生化全身气血的能力。古人称"若要安，三里常不干"，民间流传"常按足三里，胜吃老母鸡"，可见足三里对身体有多重要。

足三里一定要每天坚持刺激，也可以找一个小按摩锤等东西进行敲击，力量要以产生酸胀感为度，每次至少揉3分钟。冬天的时候也可以艾灸。

操作方法：每天饭前饭后各半小时的时候按揉两侧足三里穴3分钟，可以左右交替着刺激，然后晚上8点左右再在两侧脾俞上拔罐15分钟，起罐之后喝一小杯温开水。

健康风向标

气虚者的养生关键在于补气。肾为气之根，脾为气之源，故补气重在补脾益肾。当代著名中医专家杨力教授认为女性如果气虚可采用以下几种方法治愈。

1.饮食调养。气虚质人养生宜补气健脾。常用的药物及食物包括人参、山药、莲子、大枣、黄豆、薏仁、胡萝卜、香菇、鸡肉、牛肉等。

2.精神调摄。气虚的人精神情绪常处于低落状态。精神调摄即要让精神振奋起来，变得乐观、豁达、愉快。

3.运动健身。气虚者不宜进行大运动量的体育锻炼，可多做内养功、强壮功。

4.环境调摄。气虚者适应寒暑变化之能力较差，寒冷季节常感手脚不温、易感冒。因此，冬季要避寒就温。

5.药物补养。偏脾气虚者宜选四君子汤或参苓白术散；偏肾气虚者可服用肾气丸；属肺气虚者，可常服补肺散。

血海和三阴交使女人气血生辉

女性生活馆

　　关之琳的美是一种传统的美，美得含蓄内敛，不飞扬跋扈。连老天也会偏爱美人，岁月仿佛鸟儿在天空轻盈飞过一般在她的脸上全无痕迹。关之琳的肌肤就像剥了壳的煮鸡蛋，细嫩幼滑、红润有光泽。

　　你一定以为她要不就是美得浑然天成、丽质天生，要不就是保养品满坑满谷、用之不竭，殊不知她的美丽是靠日复一日、规律的生活习惯来控制的。她的生活习惯就是处处以养血为根本，因为她深谙血足才能肌肤红润、身材窈窕的道理。

　　健康美丽、富有青春活力，对每个人来说都是永远追求的目标。身材窈窕、肤色红润是每个女人一生的梦想。但现实生活中却往往因某种原因，导致女性无法实现这个梦想，其中最大的敌人便是血虚。一旦血虚，随之而来的便是面容憔悴，头昏眼花，心悸失眠，手足发麻，脉细无力等等，再好的化妆品也无法掩盖，还会让疾病乘虚而入，威胁身体健康。

　　关爱自己的女人，只要注意调养经络，补血活血，拥有美丽容颜不再是一件难事。

　　血海穴属足太阴脾经，屈膝时位于大腿内侧，髌底内侧上2寸，股四头肌内侧头的隆起处。血海穴为治疗血症的要穴，具有活血化淤、补血养血、引血归经之效。

　　每天上午9～11点刺激血海穴最好，因为这个时间段是脾经经气旺盛的时候，人体阳气处于上升阶段，所以直接按揉就可以了，每侧3分钟，力量不要太大，能感到穴位处有酸胀感即可，要以"轻柔"为原则，晚上9～11点

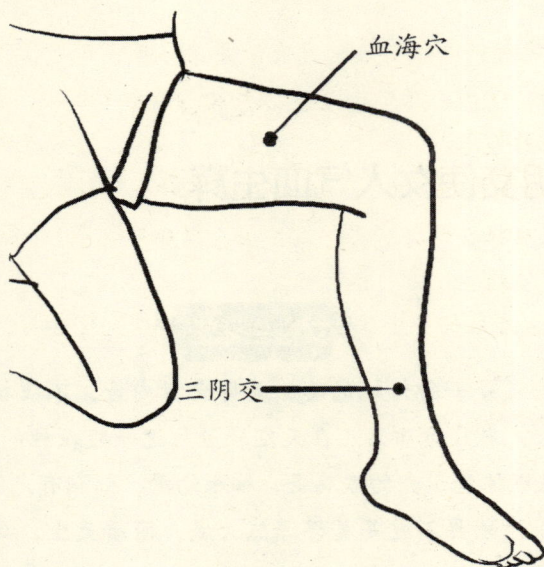

再进行艾灸。

　　三阴交：位于内踝尖直上三寸（约一手掌宽或约10公分左右），胫骨后缘。左右脚各一穴，属太阴脾经，与厥阴肝经、少阴肾经交会，故名三阴交。

　　三阴交穴功能：健脾补血、舒肝补肾，凡血虚经少、气滞经痛、经前郁火、带下不孕等妇科诸疾，莫不能治，故三阴交穴在临床上是妇科治疗、保健首选要穴。所谓"妇女三阴交"，亦为四总穴之一。

　　每天睡觉之前坚持按揉三阴交5～10分钟，以皮肤潮红为度。

　　只要你坚持按揉血海和三阴交就会让你气血生辉，让你永远保有青春亮丽的脸庞。

✳ 健康风向标 ➡

　　血虚质女性的养生宗旨是补血、养血、益气生血。具体方法是：

　　1．不可劳心过度：人的血液循环同心有关，大脑的血液靠心脏源源不断地供给，若思虑过度，挖空心思，就会耗伤心血。所以，老年人，尤其是血虚体质的老年人不可用脑过度。一旦感到大脑疲劳时，就要调节一下，或欣赏鸟语，或观赏风景，使人心情愉快，精神振奋，能很快消除疲劳。

2. **饮食调养**：平时可常食桑葚、荔枝、松子、黑木耳、菠菜、胡萝卜、猪肉、羊肉、牛肝、羊肝、甲鱼、海参等食物，因为这些食物都有补血、养血的作用。

3. **加强精神修养**：血虚的人时常精神不振、失眠、健忘、注意力不集中，故应振奋精神。当烦闷不安、情绪不佳时，可以听听音乐，欣赏幽默剧，可使精神振奋、排解忧愁。

4. **经常参加体育锻炼**：老年人经常感到这痛那痒，很重要的一点是血不够用。血虚老人则会更明显，可时常参加体育锻炼，但运动量不易过大。运动项目的选择以传统的健身运动为佳，如太极拳、气功导引等，还可以去郊游、踏青，既能呼吸新鲜空气，又能活动筋骨。

5. **药物治疗**：可常服当归补血汤（当归、黄芪）、四物汤（当归、川芎、熟地、白芍）或归脾汤。若气血两虚，则须气血双补，选八珍汤（八珍益母丸）、十全大补汤（十全大补丸）或人参养荣汤（人参养荣丸）。

Chapter2

第二章
敲经络缔造天使般的完美肌肤

按摩天枢和内庭将脸上的痘痘一扫而光

> 很多女性，尤其是处于"花季"的少女们，对于恼人的"痘痘"真是恨之入骨。本来白白嫩嫩的脸蛋，被几个痘痘一"践踏"，不但有损容貌，还让人郁闷得心烦，怎么办呢？想尽办法，可还是没有什么效果，哎，真是让人头疼！其实，不用急也不用愁，天枢和内庭两个穴位就能解除你的痛苦。

美丽无瑕的肌肤是每一个爱美的女子所渴望拥有的，可是层出不穷的痘痘却成为无数女子烦恼的根源。健康专家称，痘痘是一种毒，它是人体内积聚的众多毒素在面部皮肤上的一种表现。脸颊、前额上长痘痘，而且颜色偏红，口气重，肚胀，有时还便秘，是由胃火旺造成的。改善这种状况的办法就是按揉天枢和内庭穴。

天枢穴位于肚脐两边两个大拇指宽度的地方。要用大拇指指肚按揉天枢穴，使的力量要稍大一点，直到感到疼痛为止，同时按在穴位上轻轻旋转。

内庭在两脚背上第二和第三趾结

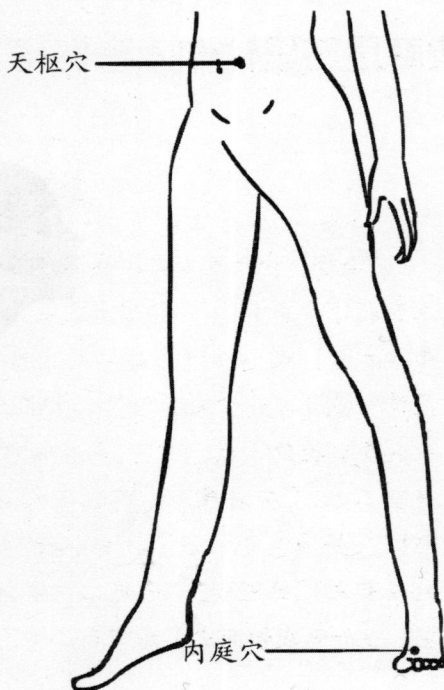

天枢穴

内庭穴

合的地方。要每天用手指肚向骨缝方向点揉200下，力量要大，依据个人的承受能力，以能接受为度，早上7～9点按摩最佳。

具体操作方法：每天早晨起床后，先用大拇指点按两侧内庭2分钟，泻胃火；再按揉两侧天枢2分钟，通便。饭后半小时，再按揉天枢2分钟。

按揉天枢和内庭穴能迅速去除痘痘和粉刺，有效抑制痘痘的发生，令肌肤更干净、健康。

健康风向标

脸上长痘痘的女性要注意：饮食要清淡，多吃蔬菜水果，多喝水，少吃油腻、油炸食物。平时还要注意彻底清洁肌肤，不能给细菌创造繁衍"闹事"的机会。

按摩足三里让你面若桃花

女性生活馆

"哈哈，今天可以见到老同学陈希玲了，不知道以前的'灰姑娘'现在变成什么样了。"想起马上就能见到她了，心里除了兴奋就是兴奋。下午3点钟，我们约好在西单的麦当劳会面。不到3点我就在那守候了，没过一会儿，一个皮肤白嫩，神采奕奕，打扮得非常时尚的妙龄女郎走到我面前抱住了我。"啊！真是你啊，现在是'白天鹅'了，哈哈！"我兴奋不已。"告诉我，你现在皮肤怎么变得这么好啊？"她说："有妙招啊！""快点，告诉我，什么妙招？"我急切地问。"按摩这里，哈哈！"她指着自己的腿说。"好吧，回去再教我，我也要变成'白天鹅'。"说完，就开始我们两个人的"约会"了。

每个爱美的女性都希望自己的皮肤如桃花般粉嫩细腻，富有光泽，那么如何改善脸色苍白、浑身没劲的状况呢？

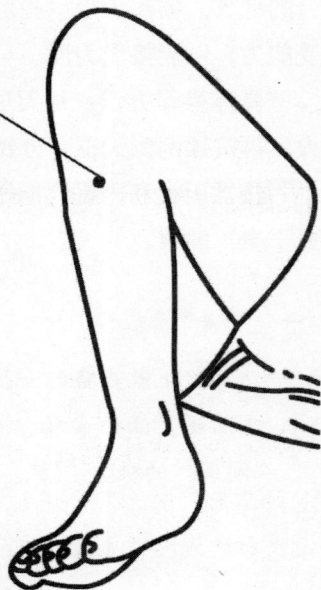

足三里

其实，脸色不好看、没精打采，都是因为脾胃功能差。脾胃是"水谷气血之海"，是全身能量的来源，脾胃功能差的时候，身体为了保护自己，就会自发调节，少吃东西以减轻脾胃的负担。在这时，再好的东西吃进去也不能充分吸收，这样造成气血生成少，不能滋养皮肤，所以脸上看起来没有血色和光泽。

可见，要想使自己的皮肤富有光泽就要增强脾胃功能，而增强脾胃功能就要按揉足三里，因为足三里是胃经上的保健穴。

足三里在小腿的外侧，弯腿的时候，把手指并拢放在膝盖下，小腿骨外侧的一横指处即是。用大拇指或者中指按揉3～5分钟，或者用按摩锤之类的东西进行敲打，使足三里有酸胀和发热的感觉，时间最好选在早上7～9点，因为这时胃经气血最旺盛。

自古桃花增美色，想拥有一副艳若桃花般面孔的女士们，不妨一试，相信，只要你能长期坚持按揉足三里，你离美丽将会更近。

健康风向标

要想面若桃花，除了按揉足三里外，还要保持心情舒畅。在饮食方面尽量清淡，多喝粥，避免暴饮暴食和多食油腻食物。

按摩神厥穴和关元穴让双唇红润有光泽

女性生活馆

　　朋友小希有着众人羡慕的性感、红润而妩媚的双唇，她也因此成为广告公司的唇模特，主要是做一些青春色系的唇彩广告。谈起她的红唇，她总是兴高采烈和倍感自豪，同时她也向我透露她的"养唇"心经——灸神厥穴和关元穴。

　　女人除了迷人的双眼，嘴唇也是非常吸引人的地方。一个性感、红润、靓丽的嘴唇往往会带来非同凡响的效果，哪个爱美的女士不想拥有红润而富有光泽的双唇呢？可是总有些女士的双唇不尽如人意，要么是干裂，要么是发暗，甚至偏紫色，毫无光泽可言。她们的手脚总是冰凉的，如果赶上下雨或者刮风，唇色会变成暗紫色。

　　现在有很多女性的体质天生就偏寒，所以手脚容易发凉，再加上现在流行的露脐装、低腰裤和超短裙，使女性的身体更加寒凉。中医学讲，寒主凝滞，体内太寒，血液流动太慢，就会形成血淤，使血行变慢。新鲜的血液，也就是动脉血不能及时补

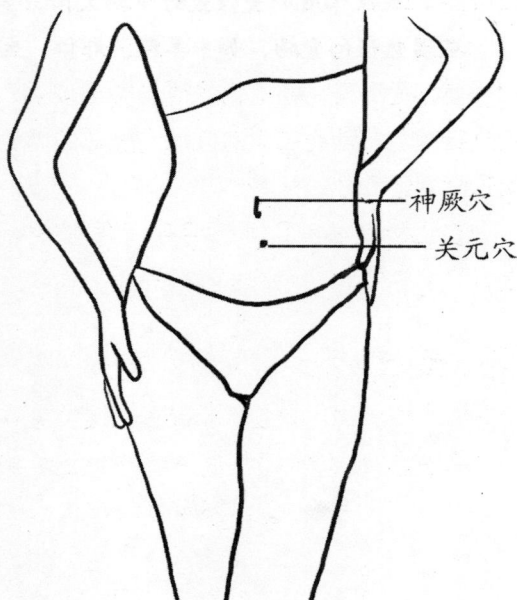

——神厥穴
——关元穴

充，因此，嘴唇会显示出静脉血的颜色，也就是暗红色，所以受寒的女性的唇色会发紫和发暗。要驱寒就要温阳，就要点燃身体内的小火炉，最简便的方法就是灸神厥穴和关元穴。

神厥穴就在肚脐眼的位置，我们可以取少量的盐放在肚脐内，上面放一块硬币大小的生姜片，再放满艾绒，点燃。但要注意的是，当你感觉很烫的时候，可以把姜片拿下来，绕着肚脐上下左右移动。每天睡觉之前灸，因为此时阳气最少。

关元穴在肚脐正下方四横指的地方，每天要灸 10 分钟，可以隔着姜灸，也可以只用艾条灸。

除了灸神厥穴和关元穴之外，还可以刺激血海，因为刺激血海可以活血化淤，用大拇指点揉或者按揉，直到感到疼痛为止。

建议你每天坚持灸神厥穴和关元穴 10 分钟，然后按揉血海 2～3 分钟，直到感觉浑身暖和为止。只要你长期坚持，相信，你的双唇会如樱桃般鲜嫩红润，富有光泽。

健康风向标

寒凉体质的女性最好多晒太阳，多运动，时刻注意保暖，还要多吃一些温热性的食物，如牛羊肉、虾仁、生姜、韭菜等。

按摩大鱼际、太阳穴等是祛斑的法宝

女性生活馆

　　朋友真真见到我就向我诉苦："现在我脸上的斑特别多，大概从小学六年级开始有的，现在我已经23岁了，斑越来越多，尤其是鼻梁和颧骨部位，颜色也在加深。平时也用过一些祛斑护肤品，但并不见效。你说怎么办啊，每天都很愁，都懒得照镜子看自己……"见到她发愁的样子，我也是爱莫能助。后来我结识了一位中医，她告诉我一个祛斑妙招，就是按揉穴位，我把这个办法告诉了真真，希望对她能有所帮助。没想到过了几个月，她告诉我，她脸上的斑点淡了很多，真是神奇。我也备感欣慰。

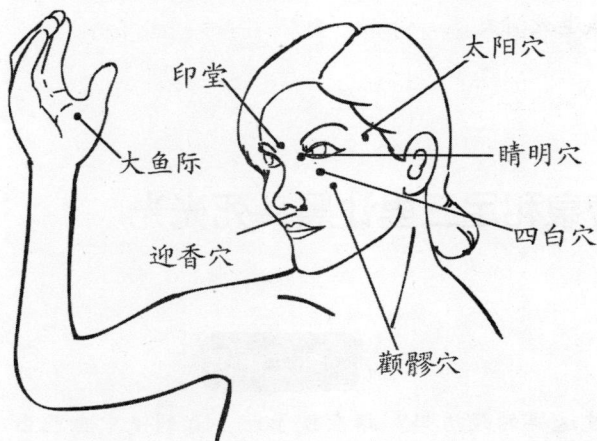

印堂　太阳穴　晴明穴　四白穴　大鱼际　迎香穴　颧髎穴

　　白嫩肌肤上的斑总是如眼里的沙子般让人难以忍受。试问，追求完美的美人儿眼里怎能容得下一点儿斑？

其实不用慌，只要经常进行面部按摩就可以使面部色斑颜色变淡甚至消失。你可以去美容院让美容师按摩，也可以自己在家中进行。

爱美的、想要祛斑的女士请跟我一起按摩吧：

1．以双手大鱼际在双侧颧骨部由内向外做环形按揉 1 分钟。

2．以双手拇指指腹由前额正中向两边分推，从眉毛上方推至太阳穴，反复进行 1 分钟，然后用双手中指指腹由睛明穴开始沿两侧鼻背向下推抹至迎香穴，反复进行 1 分钟。

3．双手手掌置于两颊外侧，以食指、中指、无名指、小指指腹贴于两侧面颊部，手指按次序地由下向上运动，做扫的动作，反复进行 1 分钟。

4．用拇指指腹按揉印堂穴 1 分钟。再用双手中指指腹分别按揉两侧四白、迎香、颧髎穴各 1 分钟。

5．受术者微闭双眼，术者用双手大鱼际从前额向两侧分抹至太阳穴，然后向内下抚摩至颧部，经两侧面颊到下巴处，反复进行 1 分钟。

健康风向标

　　每天喝一杯西红柿汁或常吃西红柿，对防止雀斑产生有较好的作用。因为西红柿中含有丰富的谷胱甘肽，谷胱甘肽可抑制黑色素，也可使沉着的色素减退或消失。

按摩阴陵泉和足三里让黑头死光光

女性生活馆

　　你有过这样的经历吗？站在镜子前，看到镜中自己白净的脸上偏偏被鼻头上星星点点的小黑头破坏了美感，甚至这样的黑头不仅仅局限于鼻头，连额头、鼻子两侧都有粗大的毛孔若隐若现，这样的烦恼可是不少女孩子都有的。

黑头主要是由皮脂、细胞屑和细菌组成的一种"栓"样物，阻塞在毛囊开口处而形成的。加上空气中的尘埃、污垢和氧化作用，使其接触空气的一头逐渐变黑，所以得了这么一个不太雅致的称号——黑头。

如果将痘痘比喻为活火山，那么黑头就好比死火山，虽然危险性不足以引起我们特别关注，但它的确是希望拥有凝脂般肌肤的女性之大敌。不要怕，和黑头来一场战斗，将这些难缠的东西彻底甩干净！那么怎么甩掉这些令人心烦的小东西，做个十足的小美女呢？其实，办法很简单，只要你每天坚持按揉阴陵泉穴和足三里就可以了。

《黄帝内经》说："脾热病者，鼻先赤。"从五行看，脾胃属土，五方中与之相对的是中央，而鼻子为面部的中央，所以鼻为脾胃之外候。脾土怕湿，湿热太盛时就会在鼻子上有表现。季节与脾土相对应的正是长夏，所以黑头在夏季表现最突出。所以要去黑头就要除脾湿，而除脾湿的最好穴位就是阴陵泉穴和足三里了。

阴陵泉穴在膝盖下方，沿着小腿内侧骨往上捋，向内转弯时的凹陷就是阴陵泉穴之所在。每天坚持按揉阴陵泉穴10分钟，就可以除脾湿。

对于足三里，要除脾湿最好是用艾灸，因为艾灸的效果会更好，除脾湿的速度会更快。

建议你在空闲的时候按揉阴陵泉穴，每天坚持10分钟。晚上睡觉前，用

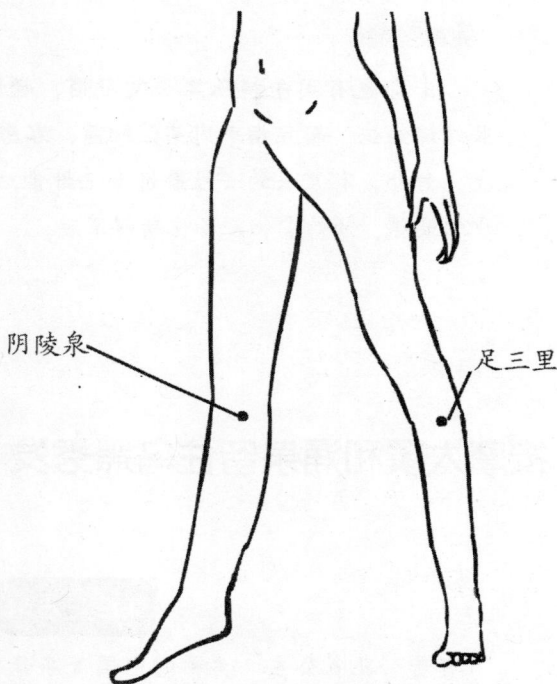

艾条灸两侧的足三里 5 分钟，只要长期坚持，就可以除脾湿，使黑头消失。

※ 健康风向标

　　若你也有用手挤压黑头的习惯，赶快住手吧，那会严重损伤你的皮肤结缔组织。而且指甲内易藏细菌，容易引起皮肤发炎，使得毛孔越变越大。另外，有黑头的女性最好少吃甜食，如糕点、糖果、冰激凌等，还要少吃油腻、油炸食物，多吃新鲜果蔬。

按摩太溪和涌泉留住乌黑秀发

女性生活馆

　　有着"孔雀公主"美称的中国著名舞蹈家刀美兰，曾经因一头飘逸的秀发而平添了无穷的魅力，征服了无数人的心。如今二十几年过去了，当年那个在水边起舞的姑娘，现在已经 60 多岁。但时间好像对她格外偏心，她不仅舞姿依旧那么美，风韵不减当年，秀发也依然如初，而且发质柔韧，甚至没有一根白发。当人问及她的美发秘诀时，她说："我习惯用牛角刮痧。牛角能滋阴凉血，用牛角梳子梳头能有效去头屑，防止脱发。"从她的论述中我们发现：刮痧不但能调整脏腑功能，而且能加速血液循环，改善营养供给，从而促使毛发生长。

　　头发美是人体美的显著标志，拥有一头漂亮的头发无疑会让健康的你锦上添花。但是有些女性却没那么幸运，有的发质干枯且无光泽，有的大把大把地掉，其中的原因是什么呢？

　　头发的盛衰和肾气是否充盈有很大关系。头发伴随着人的一生，从童年、少年、青年、壮年到老年的演变，均和肾气的盛衰有直接和密切的关系。也就是《素问·六节脏象论》中"肾者……其华在发"的含义。

肾藏精,精生血,说明血的生成,本源于先天之精,化生血液以营养毛发。人的元气源于肾,乃由肾中精气所化生。元气为人体生命运化之原动力,能激发和促进毛发的生长。可见要想使自己的秀发飘逸有光泽就要注意补肾,补肾最好的办法就是按摩太溪和涌泉穴。

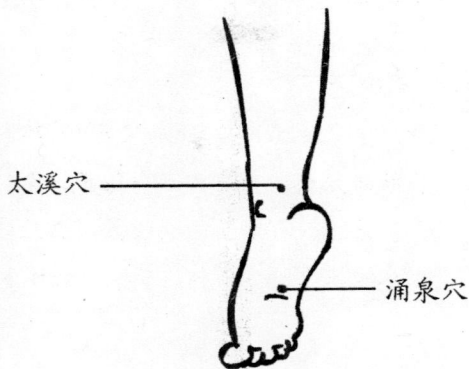

太溪是肾经的原穴,它是补肾的近道儿。太溪穴在脚踝内侧,从脚踝内侧中央起,往脚趾后方触摸,在脚踝内侧和跟腱之间,有一个大凹陷,这凹陷中间,可感到动脉跳动之处的即是太溪穴。每天坚持用手指按揉太溪穴,除了要有酸胀的感觉之外,还要有麻麻的感觉。

涌泉穴是人体少阴肾经上的要穴。它位于脚底中线前三分之一交点处,即当脚趾屈时,脚底前凹陷处。每天睡前用手指按压涌泉穴3分钟,或者艾灸,都有很好的疗效。

建议你每天睡觉之前先用热水泡脚,然后按揉太溪穴3～4分钟,再按压涌泉穴,只要能长期坚持下去一定会有很好的效果。

乌黑的秀发,让人感受到一种婉约的美。男人们眼中的美女应该有一头乌黑的飘飘长发,黑色的深沉与庄重将女人含蓄内敛的气质恰如其分地映衬出来,符合中国传统的审美标准。想有一头乌黑的秀发不是幻想,只要你能坚持按照上面的方法去做。

※ *健康风向标* →

想想,如果每次洗完手你都把双手置于热气中吹干会有什么后果。你的手过不多久就会变得皲裂、敏感和干燥。那么,切记你的头皮也会产生相同的反应。将你的吹风机关小一些,用冷风挡将头发吹干。这不仅能让头发变得蓬松,还能保护你的头皮。

Chapter3

第三章
曼妙和性感只需按摩经络

三步按摩让女人"挺"起来

女性生活馆

　　朋友小资可谓是"仙女下凡"，她拥有令人艳美的光滑柔嫩的肌肤，清澈的大眼睛，还有性感、富有光泽的朱唇，简直就如精雕细刻一般。但是美中不足的是，她的胸部不够丰满，所以每次买胸罩都是买有海绵内衬的。"哈哈，十足的假大空！"我每次都这样笑话她，她总是一笑了之。但后来她的胸部变大了，她高兴地说："现在可是真材实料了。"我惊讶万分，问她有什么奇招，她说："很简单，三步按摩就能行。"

　　女人们都想做公主，"太平公主"却无人愿意做。你想告别"飞机场"的平坦，"搓衣板"的骨感，做一个自信挺胸的美丽女人吗？那下面介绍的"三步丰胸按摩法"你一定要记好了！

　　第一步：双手四指并拢，用指肚由乳头向四周呈放射状轻轻按摩乳房一分钟。在操作时动作要轻柔，不可用力过猛。

　　第二步：用左手掌从右锁骨下向下推摩至乳根部，再向上推摩返回至锁骨下，共做三遍。然后换右手推摩左侧乳房。

　　第三步：用右手掌从胸骨处向左推左侧乳房直至腋下，再返回至胸骨处，共做三次。然后换左手推右侧乳房。

　　只要你坚持做胸部按摩，不但可以使胸部丰满，凸现女人的曲线美，还能达到清心安神、宽胸理气的目的，最终令人气血通畅、精神饱满、神清气爽。

健康风向标

　　乳房发育不够丰满的女孩，应多吃一些含热量较多的食物，如蛋类、肉类，核桃、豆类等富含植物油类的食品。通过热量在体内的积蓄，使瘦弱的身体变得丰满，同时，乳房中也由于脂肪的积蓄而变得高耸、富有弹性。

神奇按摩法拯救美丽重灾区——颈部

女性生活馆

　　认真地在镜子前审视自己的颈部：据说一条皱纹代表年近30，每多一条就添寿十年。如果还没有明显的松弛或者皱纹，那么恭喜你。但还是要采取预防措施，不要让岁月在你的肌肤上留下痕迹，保持颈部的完美，让自己看起来至少年轻10岁！

　　"从脖子上可以看出女人的年龄"。的确，岁月留痕，当你的眼角仍保持细嫩的肤质时，颈部却已经显露了衰老的迹象。然而，很多女人在毫不吝啬地往脸上"堆砌"各类护肤品时，却忽视了对颈部的呵护。经常进行颈部按摩，可以保持皮肤光滑、细嫩、有弹性，减少或消除皱纹，避免脂肪的堆积，让颈部光滑柔美，肤色均匀透亮。

　　手法如下：在颈前两手由下而上按摩，如果方向相反，由上往下按摩，不但会使皮肤下垂，还会加速衰老。颈后按摩则是在耳后附近，斜向下力度适中地按压。许多人在护理颈部的时候只注意颈前，却忘记颈后的护理。其实，如果颈后护理不当，产生的皱纹还会向前延伸。

　　重复以上动作三次，每天晚上睡觉前做按摩，对预防颈部的细纹，舒缓一天的疲劳及颈椎的健康都很有好处。由于颈部肌肤的弹性差、肤质薄，按摩时动作要轻柔。

对于脖颈来说，仰卧是最自然的，所以大枕头是最科学的。这样能让脖颈形成山形弯曲。枕头最好稍微硬一些。最适宜的高度是在8厘米左右，摆放在脖颈的凹陷处。

如何拥有浑圆而富有弹性的臀部

女性生活馆

汪亚妮是公司的副总，每天的事情多得做不完。她没时间健身，偶尔走路也只是从这个办公室到那个办公室。整天坐着，使得她的臀部越来越松弛，肚子越来越大，于是整个体形变得像个枣核，中间胖，两边瘦。这下可愁坏了她，做女人怎么可以这样呢？她立志要改变现状。后来经专家传授经验，按摩可以有效提臀。于是，她开始了塑身提臀计划，真没想到，几个星期下来，她的臀部变得浑圆而有弹性了，公司的女同事都惊叹不已。

女人最优美的线条是腰身到臀部的曲线，浑圆而富有弹性的臀部是女性健美的标志之一。如果在办公桌前坐得过久，或坐在沙发上看电视时间太长，臀部的肌肉就会松弛。要想使臀部肌肉结实起来，可以每天做下面的臀部按摩，只需三个星期就能有显著效果。

1．双掌叠加按揉一侧臀部，反复操作两分钟。同法按摩对侧臀部。

2．双手捏住一侧臀部肌肉，反复用力捏揉两分钟。同法按摩对侧臀部。

3．单掌或双手掌叠加，将掌根置于一侧臀部上方关元俞穴处，向外下方推，经胞盲穴至环跳穴止，反复推按1分钟。

4．以一手掌根部置于大腿后侧臀下方的承扶穴处，反复按揉 1 分钟。

5．以一肘尖置于一侧环跳穴处，屈肘塌腰，将身体上半部的重量集中于肘尖部，由轻而重地持续按压 1 分钟。

6．双手十指相对靠拢，指间分开，手腕放松，双前臂做主动的旋转运动，用小指侧有节律地叩击臀部，反复操作 1 分钟。

健康风向标

取仰卧体位，两足跟用力下蹬，同时提气收臀，2 秒钟后放松，然后再蹬足提气收臀放松，反复 20 次。有收缩臀部肌肉和运动臀、腿脂肪的作用。

轻松打造 "V" 形性感美人肩

女性生活馆

性感美人肩也是美丽女人不可或缺的，所以在追求完美女人的道路上，我的朋友佳佳就不忘打造丰满、光洁的双肩，在这方面她有独特的一套方法，那就是肩部按摩。她说这招是 "绿色技术"，省钱、省时，还能健身。

由颈至肩这段缓和的线条，是表现女性美的地方。若这段线条出现和缓与柔美的特征，则全身也会显得和谐、动人。长时间伏案学习和工作的人，由于缺乏锻炼，以至肩部变得肥厚不适，使人没有优美的肩部线条，影响体态美。经络按摩是解决肩部不美的最有效的方法，如果你想获得曲线柔美的肩部，现在就请你按照不同的穴位施行不同的指压法。

穴位 1：三角肌前中央点

按压穴位 1 的要领：将拇指充分弯曲，以第二指关节置于穴位上，用中等力量朝水平方向按压 10 秒。

穴位 2：三角肌后中央点

按压穴位 2 的要领：将拇指充分弯曲，按在三角肌后中央点上，食指和中指按在后中央点上，同时朝水平方向按压 10 秒。

穴位 3：肩中间的点

按压穴位 3 的要领：双手伸到脑后，抱住脖子，以食指、中指按住左右肩中间的穴位，用中等力量垂直下压 10 秒，反复做三次。

穴位 4：肩根点

按压穴位 4 的要领：将双手拇指充分弯曲，将第二指关节置于左、右肩根点穴位上，用中等力量垂直下压 10 秒，反复做三次。

只要你能坚持做上面的按摩，你就会拥有宽阔、对称、均匀、丰满、柔滑、光洁的双肩，你的魅力也会因此而增加。

※ 健康风向标 ➝

对于忙于工作的白领丽人，平时紧张的工作状态会使肩部酸痛，只要间隔一段时间做耸肩运动 20 ～ 30 次就可以有效缓解这种疼痛，你不妨试试看！

纤纤玉手按摩来成就

女性生活馆

记得以前在翻阅《女友》杂志时，一篇文章里配了一只手的图片，感觉很美，就把它剪下来，配上一首诗，贴在自己的桌子上，有空的时候就看看。有时候就想，要是我也能拥有这么一双玉手该多好，可是上天没有给我这样的机会，或许我只能遗憾终生了。没想到后来朋友教我一种美手按摩术，真的让我实现了美手梦想。

手被称为女人的第二张面孔，一双修长、细腻的纤纤玉手，不仅会给人以健康、纤柔、灵巧之感，更能增添女性的魅力。怎样才能拥有一双美丽的手呢？让我们来学一学手部按摩操。

1. 按摩之前先在手背上抹些护手霜，然后从手指尖到手腕向上揉搓，直到手背充分吸收为止，两只手各做 10 次。

2. 一只手平放，另一只半握，用手指的中间关节摁在放平的手背的上骨头，上下移动。

3. 用一只手摁住另一只手的大拇指和食指间陷进去的部位，并以螺旋形滑动、旋转等手法揉捏。

4. 用食指和中指的中间关节在另一只手的侧面上下滑动。

5. 用食指和中指的中间关节抓住另一只手指甲的底部用力往外抽。

6. 打开手掌心后用另一只手托住，然后用大拇指用力推手指的根部，然后再从手腕到大拇指和食指的方向用力摁住。

7. 在打开手掌心的状态下，用另一只手握住除大拇指以外的四个手指向后扬，反复做 2 ～ 3 次。

8. 把一只手扣住另一只手的手指间，用力摁住空隙的部分并向后扬，反复做 10 次后用拳头使劲拍打手掌。

手部按摩不但能产生热能，促使毛细血管扩张，改善微循环和淋巴循环，把代谢物和有毒物质清除干净，疏通全身经络气血，达到养生保健、预防疾病的目的。

健康风向标

按摩时要心理放松，不要憋气或者身体局部不自觉地紧张、吃劲；要有信心和恒心，按摩是一个长期坚持的过程，质变需要量变作为基础，要循序渐进。

Chapter4

第四章
经络按摩才是减肥的正道

按摩腰部让你拥有小蛮腰

女性生活馆

女人穿旗袍最能显出优雅完美的身材，所以姐妹们什么都可以没有，但小蛮腰是一定要有的，除了漂亮之外，我们重要的本钱就在这里了。

裙衫飘飘，婀娜体态尽显风光，赏心悦目当属苗条如柳的玲珑俏佳人。粗腰者看在眼里，心头急似火：节食、减肥药、减肥茶、拼命健身出汗，招数使尽求苗条，也不管是否科学。结果未能如愿，反而带来诸多不良后果，可谓"衣带渐宽终不悔，为'美'消得人憔悴"。怎样才能拥有健康又美丽的小蛮腰呢？关键看你怎么做。

按摩腰部的经络和穴位，不仅可以促进局部的气血运行，还可以调节脏腑的功能，使全身的肌肉强健、皮肤润滑、形体健美，具体步骤如下：

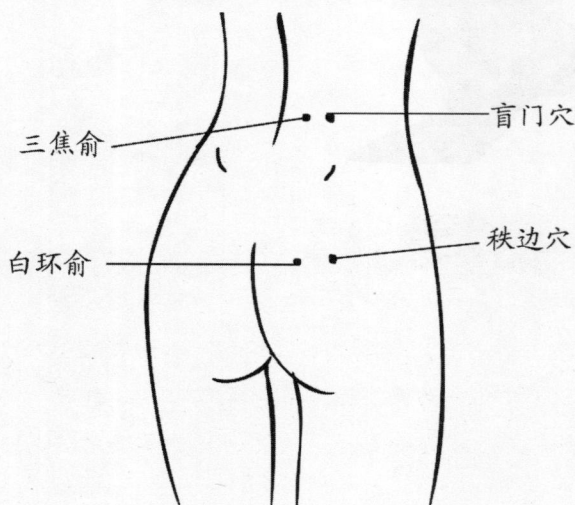

三焦俞　盲门穴　白环俞　秩边穴

1. 以一手或双手叠加，用掌面在两侧腰部、尾骶部和臀部上下来回按揉2分钟，然后双手掌根部对置于腰部脊柱两侧，其他四指附于腰际，掌根部向外分推至腋中线，反复操作2分钟。

2. 以一手的小鱼际推擦足太阳膀胱经第一侧线，从白环俞穴开始，至三焦俞穴止，重复操作2分钟。然后再推擦膀胱经第二侧线从秩边穴至肓门穴，反复操作1分钟。

3．双手掌叠加，有节律地用掌根部按压命门、腰阳关穴各半分钟。

4．双手拇指端分置于腰部脊柱两侧的肾俞穴，向内上方倾斜用力，持续点按1分钟。

5．以一肘尖着力于一侧腰部的腰眼处，由轻而重地持续压腰眼半分钟，然后压对侧腰眼。

6．用双手拇指指腹按揉气海俞、大肠俞、关元俞和次髎穴各半分钟。

7．五指并拢，掌心空虚，以单掌或双掌拍打腰部和尾骶部1分钟。

纤纤细腰是所有女性的渴望。练出美丽腰际线，才能更好地彰显你的靓丽身姿和窈窕身段。努力吧，为了迎接阳光下的美丽，多花点心思，小蛮腰就会追随着你。

✳ 健康风向标 ➡

　　平时保持挺胸收腹之态。看一看舞蹈演员的娇美体形，她们平时走路都是这种姿势，让腰、腹部肌肉处于紧张状态，更好地消耗脂肪，帮助锻炼体形。

漂亮女人的纤腿按摩秘籍

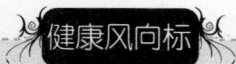

健康风向标

　　时装秀上，你是不是每每看到模特们那一双双紧实纤细的美腿就艳美不已呢？你是不是总是仰天长叹："谁让我就这么高呢？"那你可就大错特错了，也许上天确实没有给你一双长长的腿，但是请记住，美腿标准可不是以长短论的哦！就像现在流行塑身而不是减肥一样，美丽的腿形才是让你更自信的源泉！

对于很多办公室女性来说，一天可能会在办公室坐上 8 个小时甚至更久，慢慢地，你会发现双腿越来越粗壮。其实，只要找准腿部按摩部位，每天进行自我按摩，你会发现在不知不觉中，双腿竟被拉长了！

第一课：膝盖与两侧按摩

膝盖周围很少累积脂肪，因为膝盖是骨骼相连的关节部位，只是这个部位很容易浮肿或出现松弛的现象，而使得腿部变粗。具体改善方法是：由膝盖四周开始按摩，可以改善膝盖周围皮肤松弛现象，不过，按摩的次数要频繁，否则是无法达到改善曲线的功效的。

第二课：紧实大腿线条

大腿内侧的皮下脂肪是很容易堆积松弛的，按摩大腿的方法是取坐位，腿部全部离开地面，臀部支撑身体平衡，双手按住膝盖上部大腿中部，轻轻按摩。这样可以消除腿部的浮肿，让双腿肌肤更加有弹性，使腿部线条变修长。

第三课：改善小腿微循环

方法一：减小腿要由打松结实的小腿肥肉开始。双手掌心紧贴腿部，四指并拢，大拇指用力压住腿部肌肉，从脚跟的淋巴结处中速向上旋转，两手旋转的方向必须相反。每条腿各 2 ～ 3 分钟。

方法二：睡前将腿抬高，成 90 度直角，放在墙壁上，坚持二三十分钟再放下，将有助于腿部血液循环，减轻脚部浮肿。

✳ 健康风向标 ➤

血液循环不好，就很容易引致腿部浮肿。含维生素 E 的食物，可帮助加速血液循环、预防腿部肌肉松弛。含丰富维生素 E 的食物包括杏仁、花生、小麦胚芽等。

简易瘦脸按摩术

女性生活馆

美丽性感的歌星李玟为了瘦脸，除了听从专家的建议改变饮食习惯之外，还每天利用卸妆洗脸、保养皮肤的时间，用心又勤劳地做脸部按摩。长期下来，效果真的很不错，不仅皮肤变得既光滑又有弹性，小圆脸也变得既瘦又有形！

经过不懈地努力锻炼，腰是细了，腿也瘦了很多，如果还有一张肥嘟嘟的脸，那就"大煞风景"了。不过，不用担心，无论是天生的肥脸还是因水肿造成的肿胀，都可较快、较有效地利用按摩法帮你忙。

各位美女，按照下面的步骤做，你就会拥有纤瘦嫩白的小脸，很快可以变得不同凡响！动心了吧？那就赶快和我一起练习吧！

具体手法：

1. 从额头到太阳穴，双手按压 3 ~ 4 次。

2. 双手中指、无名指交替轻按鼻翼两侧，重复 1 ~ 2 次；再以螺旋方式按摩双颊：由下颌至耳下、耳中、鼻翼至耳上部按摩，重复两次。

3. 以双手拇指、食指交替轻按下颌线，由左至右反

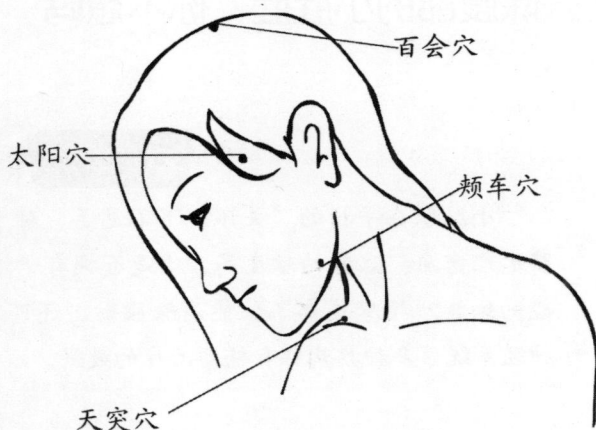

百会穴

太阳穴

颊车穴

天突穴

复 3 次。

4. 以双手掌由下向上轻抚颈部，然后沿耳后向上升，在头顶交会于百会穴，用指尖轻轻按压两分钟。

5. 手指移至眼睛与眉毛间的侧面，向后约 1 横指处，快接近发际处轻轻按压 3 分钟，能促进面部新陈代谢。

6. 沿脸部下腭轮廓向上滑，就可发现一凹陷处（颊车穴），它可以有效消除因摄取过多的糖分所造成的肥胖。

7. 将手放到喉斜下方肌肤的内侧（天突穴）。按压天突穴能刺激甲状腺，促进新陈代谢，去除脸部多余的水分。

只要你长期坚持上面的脸部按摩，就可以减少面颊的皮下脂肪而使脸形变瘦。

健康风向标

在按摩前应先进行 3 分钟的有氧运动。按摩时着重刺激睛明、太阳、四下关、颊车几个穴位，能有效预防面部赘肉横生，改善脸形。

去除腹部的小肚肚，你不想吗

女性生活馆

小肚肚在手指的"关怀"下不见了，对于追求性感的女人来说，露脐远比露肩、露背的难度高。你是否拥有平坦的小腹，你是否拥有水蛇般的细腰？按摩腹部不仅能消除脂肪，还可以强身健体，对消化系统、神经系统等多种疾病都有辅助治疗的效果。

被"小腹婆"困扰的女性朋友，相信不在少数。而实际上，腹部的赘肉最难消除，这让很多女性束手无策。但对于使用按摩方法来说，肚肚却是减肥成效最显著的部位。

手法一：拇指叠按法

将两个拇指上下重叠，在腹部及相关穴位按压，按压的轻重应以手指感觉到脉搏跳动，且被按摩的部位不感觉疼痛为宜。

手法二：波浪推压法

两手手指并拢，自然伸直，一只手掌放在另一只手掌背上，右手在下，左手在上。在下的那只手掌和手指平贴腹部，用力向前推按，然后在上的手掌用力向后压，一推一回，由上而下慢慢移动，好像水中的浪花，故而得名。

手法三：腹部穴位按摩

腹部按摩并不是简单的揉肚子，选准基本穴位实施按摩，会起到事半功倍的效果，让你可以更自信地露出小蛮腰。

穴位一：中脘穴：腹部正中线肚脐以上大约 4 寸处。

穴位二：水分穴：腹部正中线肚脐以上大约 1 寸处。（按摩水分穴有助于排除体内多余的水分，避免水肿，并且可以帮助肠胃蠕动、锻炼腹肌，避免小腹突出）

穴位三：气海穴：腹部正中线肚脐以下大约 1.5 寸处。

穴位四：关元穴：腹部正中线肚脐下大约 3 寸处。

穴位五：水道穴：肚脐以下大约 3 寸，关元穴左右两侧各向两旁大约 2 寸处。

穴位六：天枢穴：肚脐左右两侧各向两旁大约 2 寸处，以左天枢为重点。

按摩气海、关元穴能有效地抑制食欲，有利于腹部脂肪均匀分布；而按摩

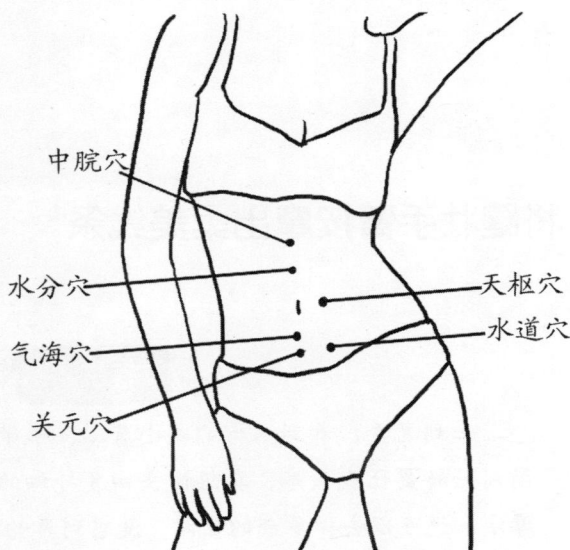

天枢穴则可以帮助消化、排气，促进肠胃蠕动、废物排泄，当然更有利于消除小腹赘肉。

穴位按摩方法及时间：每天早晚仰卧在床上，先以手法二由上腹部向小腹推压 3 ～ 4 次，再先后以手法一和手法二依次按摩以上 6 个穴位，每个穴位各按摩 2 分钟左右。

※ 健康风向标

经期时不能按摩腹部，否则会加大出血量。孕期同样也不能按摩腹部，还有一些穴位如三阴交、至阴穴等都不能按摩，但是可以接受四肢按摩。

将健壮手臂按摩出柔美线条

女性生活馆

一到夏季，看到满街都是小背心、吊带，再低头看看，手臂上的那团肉始终最让我头疼，真想快快回复纤细的手臂。一个朋友教我手臂按摩法，说可以去掉多余的赘肉，没想到真的很管用，没用一个月的时间，就见效了。

夏天就要来临，当你看着别人结实的臂膀裸露，却只能把自己两臂赘肉藏在袖子里，心里真不是滋味！这里告诉你一种简单的瘦手臂的妙方，只要持之以恒，坚持一个月，就能减掉手臂上的脂肪，锻炼出结实的臂肌，届时可别忘记买一件无袖衫来秀秀你的美臂哟！

皮下脂肪不易消除，这种顽固的皮下脂肪必须借由按摩及锻炼肌肉的训练才能减少。纤细匀称的双臂需要从基本的按摩开始，小臂的按摩以平直柔和为佳，上臂的按摩以手半握抓紧为佳，以促进皮下脂肪软化。你不妨每天花十几分钟为双臂进行按摩，在疏通淋巴组织之余，还可减轻浮肿现象，配合具消脂去水功效的纤手产品，效果更佳。

具体按摩步骤如下：

1. 由前臂开始，紧握前臂并用拇指之力，由下而上轻轻按摩，做热身动作。

2. 利用大拇指和食指握着手臂下方，以一紧一松的手法，慢慢向上移，直至腋下。

3. 以打圈的方式从手臂外侧由下往上轻轻按摩。

4. 再沿手臂内侧由上往下，继续以打圈的方式按至手肘位置。

5. 在手臂内侧肌肉比较松弛的部位，用指腹的力量，以揉搓的方法向上拉。

6. 用手由上而下轻抚手臂，令肌肉得以放松。整套动作可每晚做一次，每只手臂各做一次。

天下没有丑女人，只有懒女人！只要坚持做运动，就能去掉臂膀的赘肉，使皮肤光洁圆润，手臂修长、无赘肉，拥有美臂不是梦！但在做这些动作之前，别忘了先做暖身操，否则会有运动伤害之虞。

健康风向标

进行按摩时，切勿操之过急，动作要轻柔，慢慢地轻按手臂的穴位，可减少水肿的情况。

第三篇

调养经络，
特殊时期呵护女人的健康和美丽

Chapter1

第一章
通经络，与"老朋友"轻松会面

点按关元穴让你月经期不再痛苦

　　欢欢是个时尚的美眉，只是自从5年前失恋后，就落下了月经不规律的毛病。这么多年，四处求医，除了肌注或口服黄体酮能立竿见影外，其他任何疗法都无济于事。

　　最近，朋友赠给她一张美容体验卡，虽然欢欢对美容从来不感冒，但是鉴于其中有经络按摩项目，于是抱着试试看的心情去体验。

　　虽然并没有感觉到丝毫疼痛，但是3个小时的体验下来，背部早就落下一块块黑紫的印痕。一个星期后，月经光临，欢欢欣喜若狂，遂致电美容院表示谢意。美容师小姐像中学课本里的卖油翁那样不温不火地告诉她："无他，唯经络耳。"

　　"月经不调"是指月经周期异常和月经量异常，常见的相关疾病包括月经先期（又称经期超前）、月经后期（又称经迟）、月经先后不定期、月经量过多、月经量过少等。

　　以指压法治疗月经不调，穴位都集中在小腹。首先是关元穴，其次是气海、中极、子宫等穴。从位置上来说，关元穴特别靠近阴部，又处在任脉（分布于人体前正中线，起于会阴，止于头部承浆）上。因此，对关元等穴进行按压，就

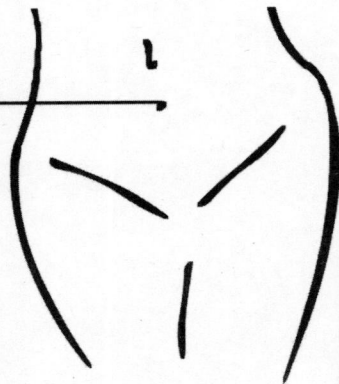

关元穴

可以作用于阴部，从而对生殖系统疾病产生好的影响。

一般来说，女性的小腹都有较厚的脂肪，内部的子宫也有较强的抗外力结构。因而对关元等穴加以按压，不妨力量大一些，时间长一些，不用担心会对内脏器官造成伤害。

点按关元穴时，每次可达 10 ~ 15 分钟，每日 1 ~ 2 次。气海、中极、子宫等穴，也可按此法施行。

点按关元等穴的同时，也可用手掌施行旋转推揉，从肚脐开始，由下至上顺时针方向进行，反复进行 2 ~ 4 分钟。

对于缺乏穴位知识，或者不能掌握穴位确切位置的人，完全可以不管什么穴位，只要用手掌在小腹部反复揉推，也可以治疗月经不调。但要注意的是，手法应由轻至重逐渐进行，力量以透达深处为度，使子宫受到按摩。

❋ 健康风向标 ➜

月经期会损失一部分血液。因此，月经后期需要多补充含蛋白质及铁、钾、钠、钙、镁的食物，如肉、动物肝、蛋、奶等。

按揉这几个穴位让痛经不再折磨你

女性生活馆

一位 16 岁的少女每次月经来临都要经过"出生入死"的考验：冒冷汗，四肢无力，腰酸腹胀，在床上打滚，甚至服止痛药也不管用……尽管家人带她到处求医，尽管她平日吓得连个冰激凌都不敢吃，但"老朋友"来临那几天，依旧痛苦如往常。后来，她听从一位老中医的劝告，天天按摩腹部，当"老朋友"光临时，竟然一点儿都不痛了，她欣喜若狂，把这个绝招告诉了很多人。

女人如花，月经是花期的标志，也是健康的晴雨表，伴随着女人一生中最美好的年华。如期而至的月经让人感觉踏实、身心舒服，但是，痛经也令众多女性承受着难以言说的痛苦。凡在行经前后或在行经期间出现腹痛、腰酸、下腹坠胀和其他不适，影响生活和工作称为痛经。疼痛一般位于下腹部，也可放射至背部和大腿上部。痛经分为原发性和继发性两种，前者是指生殖器官无实质性病变引发的痛经，后者是由于生殖器官某些实质性病变引起的痛经。一般认为子宫过度收缩是原发性痛经的关键所在。对于前一种痛经，目前还没有理想的治疗方法，而通过按压穴位却能缓解痛经带来的痛苦。

当痛经发作比较剧烈，疼痛难忍时，应按压气海穴。气海穴在肚脐正下方 1.5 寸的地方，再下边是关元穴、中极穴。这三个穴位对于痛经都有抑制作用。

待疼痛感有所缓解后，可按如下方法进行腹部按揉。

自上腹部至下腹部，又从下腹部至上腹部来回抚摸。当将腹壁抚摸得有明显的松弛度时，转入对下腹部做倒三角形按摩：以手掌从右下腹开始→左下侧

气海穴

关元穴

中极穴

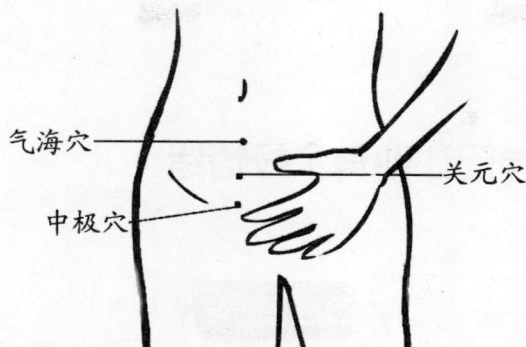

腹→下腹最下端中点→右侧腹。如此反复按摩。

在进行上述按摩的同时，或在此之后，可以拳或掌有节奏地敲击骶部，使震动力传至骨盆区内的脏器。

在足底与足背临泣穴相对的地方，有一个调经穴，刺激它也可以治疗痛经。调经穴并不难找，按压的方法也很多。一般来说，自我按压时多用大拇指；而为别人按压时，除了拇指外，也可用食指指面或关节。另外，用小棒代替手指进行按压，不仅省力，效果也格外好。

健康风向标

为避免痛经，在月经期间还应注意保持外阴部清洁卫生，禁止使用阴道药物及坐浴。在生活起居上要注意保暖，不要着凉、淋雨。同时还应少吃生冷食物，不要喝冷水。

按揉心俞和神门让你有个好情绪

女性生活馆

每次月经来的前几天，林小姐变得情绪不稳、焦虑紧张、胸部肿胀、头痛、睡不好，注意力也没办法集中。可是月经来潮，这些症状就消失了。这就是 PMS（经前综合征），也是女人专属的情绪指标。

众所周知，许多女性在月经周期中存在情绪波动问题，尤其是在月经前和月经期，情绪十分低落，抑郁或脾气暴躁。主要表现为烦躁、焦虑、易怒、疲劳、头痛、乳房胀痛、腹胀、浮肿等，其实，这全是心血不足惹的祸。有些女性本身心血不足，月经时大量气血又被派到冲任，心血更虚了，心主管神志，心自身都衰弱了，怎么能好好地管制神志呢？所以会造成情绪上的波动，或低落或焦虑。可见，要想避免经期的情绪波动就要补充气血，安神定志。其中最好的、最有效的、最便捷的就是按揉心俞穴和神门穴。

心俞穴位于人体背部，在第五胸椎旁约1.5寸的位置，大约两指的宽度，此部位是心功能的反应点，心血不足时心俞按起来又酸又

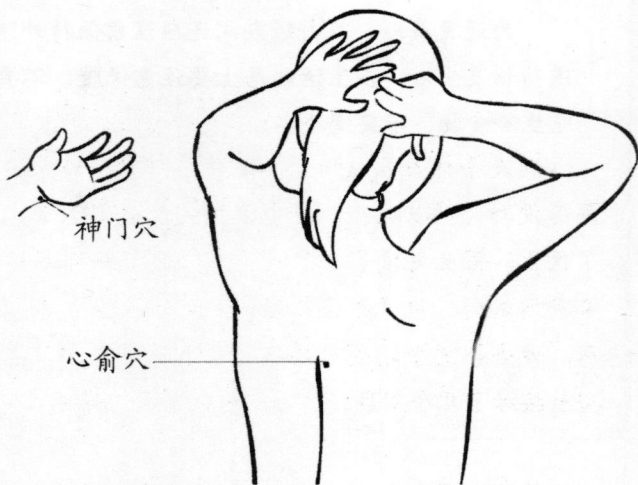

神门穴

心俞穴

疼，平时按揉这个部位就能补心。

神门穴在手腕的横线上，弯曲小拇指，牵动手腕上的肌腱，肌腱靠里就是神门穴的位置。神门穴是心经的原穴，可以补充心脏的原动力，每天坚持按揉此穴能补心气、养心血，气血足了，神志自然就清醒了。

建议你每天早晚按揉两侧神门穴 2 ~ 3 分钟，然后再按揉两侧心俞穴 2 ~ 3 分钟，只要长期坚持下去，就能让你在经期有个好情绪，轻松愉快地度过经期。

✳ 健康风向标 ➡

研究表明，那些摄入足够维生素 B 族的女人，在经前就能够保持情绪的稳定。这是因为维生素 B 族，能帮助合成提升情绪的神经传递素，如果和镁制剂一起服用的话，维生素 B 族还能缓解经前焦虑。推荐食物：菜花、胡萝卜、香蕉等。

经期头痛按摩三穴补充气血

❀女性生活馆❀

朋友小林每次快来月经时就会头痛，还会有眼胀、胸闷、想呕吐、浑身没劲儿的状况，一直到月经期后的两三天。为此，她很苦恼，也看了医生，医生也没有更好的办法，只是给她开了点儿药，虽然每次吃药都有所缓解，但是也无法根除。后来在坐火车时，无意中碰见一位老中医，他告诉她平时进行按摩就不会头痛了。于是小林抱着试试看的态度坚持按摩了几个星期，没想到她的头再也不痛了。

经前期出现头痛，为经前期紧张综合征的症状之一。经前期紧张综合征的常见表现有——经前期头痛、乳房胀痛、手足或面部浮肿、注意力不集中、精神紧张、情绪不稳，重者有腹胀、恶心或呕吐等症状。症状可在经前 7 ～ 14 天开始出现，经前 2 ～ 3 天加重，经期内症状明显减轻或消失。经期出现头痛的原因是气血亏虚、经络不畅，因为本身体质较差，经前或经后气血会更虚，头脑营养跟不上，所以就会出现头痛。可见，要想避免经期头痛，最根本的办法就是补充气血。而补充气血最好是按揉足三里、太阳穴和印堂。

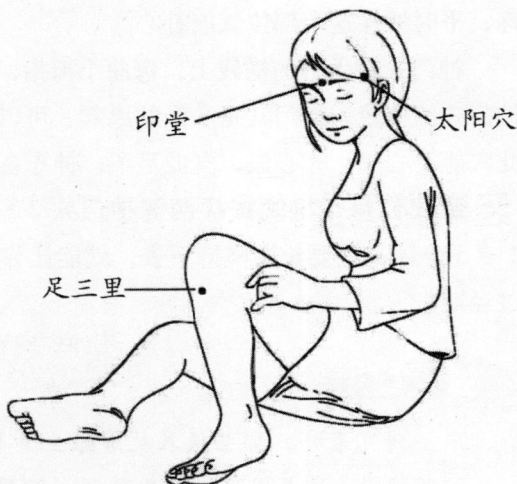

足三里是阳明胃经的合穴，其矛头直指头痛，只要每天坚持按揉足三里就能达到制止头痛的目的。除了按揉足三里，还要按揉太阳穴和印堂部位。

建议你每天早上 7 ～ 9 点按揉或艾灸两侧足三里 3 分钟。月经前 7 天开始，分别推前额，按揉太阳穴和印堂 2 分钟，直至月经结束，在这段时间内最好不要吃生冷食物。

中医认为，公鸡、螃蟹、虾等食物能动风而使肝阳上亢加剧头痛发作，所以饮食要力求清淡、新鲜，避免辛辣、刺激之品，学会控制自己的情绪，保证充足的睡眠，防止过度劳累，这对预防该病的发作有重要作用。

❋ 健康风向标

要防止经期头痛，就要避免吃含奶酪丰富的食品，如牛奶、冰激凌、腌制的肉类，以及咖啡、巧克力，因为这些食物均能诱发头痛，还要避免过度运动或劳累，以防经血过多、经期延长或闭经。

经期腹泻灸脾俞穴祛虚寒

同宿舍的小芬真可怜，每次来月经都不能上班。连续几天肚子疼得厉害，还拉肚子，一天上好几次厕所，身上出虚汗，有时还会浮肿，月经量多，颜色淡，来一次月经就像经历一次大磨难似的。一次，她不得不去看中医，医生告诉她每天灸背部就能治好，她按照医生的叮嘱实行了，没几个月经期腹泻就好了。

之所以会出现经期腹泻的状况完全是脾气虚的缘故，这在年轻女孩子的身上比较常见，因为处于这个年龄段的很多女孩子都会节食减肥，常吃一些青菜水果之类的食物，而远离肉类和主食，时间长了就会使脾虚寒。当来月经的时候，气血就会充盈冲脉、任脉，脾气会变得更虚。因为脾是主运化水湿的，脾不能正常工作了，那么水湿也会消极怠工，不好好工作，也就不能正常排泄了，所以就会出现腹泻，如果泛滥到皮肤就会出现脸部浮肿。

可见，要想经期不腹泻就要补脾气，而补脾气最好的办法就是灸脾俞穴。脾俞穴位于人体的背部，在第十一胸椎棘突下，左右旁开两指宽处。每天坚持灸此穴就能缓解经期腹

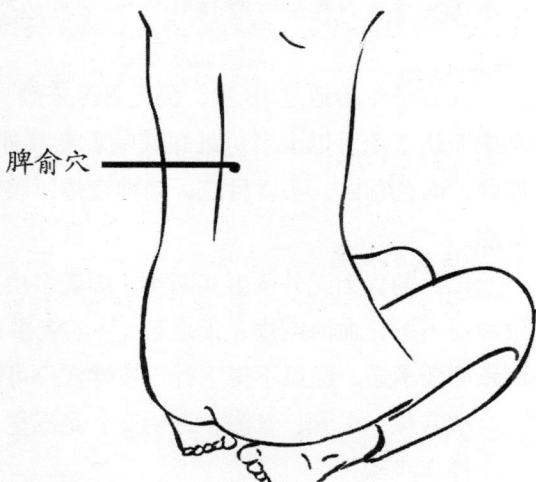

脾俞穴

泻的症状。灸此穴最好在上午 7 ～ 9 点进行。

※ 健康风向标

　　丝瓜汁有"美人水"之称，它含有丰富的营养成分：维生素 B_1、维生素 C 等，能保护皮肤，消除斑块，使皮肤洁白、细嫩，更重要的是，它对调理月经有帮助。

按摩这几个穴位治疗闭经

女性生活馆

　　王女士，36 岁，从事办公室工作，精力充沛，近几年感觉精力下降，但是由于工作紧张，丝毫不敢松懈，仍然经常加班加点。有一天她发现月经过了两个月还没来，到医院检查也没有怀孕，却被诊断为卵巢功能早衰。专家称正常妇女的绝经年龄在 50 岁左右，提前或错后 3 ～ 5 年均属于正常，当绝经年龄提前到 40 岁之前时则称之为卵巢功能早衰。

　　凡女子年龄超过 18 岁，仍无月经来潮（除暗经外），或已形成月经周期而又中断达 3 个月以上者（妊娠或哺乳期除外），均可称为闭经。临床兼见形体瘦弱，面色苍白，头昏目眩，精神疲倦，腹部硬满胀痛，大便干燥，忧郁恼怒等症。

　　闭经的病因无外乎虚实两类，虚者多由肝肾不足，气血虚弱、阴虚血燥而致冲任不盈，血海空虚，无血可下；实者多由气滞血淤、痰湿阻滞、寒凝血淤而致冲任不通，经血不得下行。按揉穴位可以治疗闭经。

　　取穴位：关元、气海、三阴交、足三里、血海。

　　操作步骤：

1．病人仰卧位

（1）点按关元、气海、三阴交、足三里、血海，每穴约1分钟。

（2）摩法。医者两手掌指相叠，以肚脐为中心，沿着升、横、降结肠，按顺时针方向围摩5分钟，以腹部有热感为宜。

（3）拿提法。医者两手掌指着力，分别置于腹部两侧，自上而下、自外向内沿任脉将腹部肌肉挤起，然后两手交叉扣拢拿提，反复施术7次。

2．病人俯卧位

（1）点按肝俞、肾俞、膈俞、胃俞，每穴约五分钟。

（2）推揉法。医者两手指掌分别置于背、腰骶部膀胱经和督脉上，边推边揉反复施术3分钟。

（3）擦法。医者两手交替进行，一手全掌着力置于腰骶部及八髎穴处，反复擦摩至皮肤微红、有热感为宜。

健康风向标

经穴按摩治疗功能失调引起的闭经，效果尚佳，但必须与早期妊娠相区别。如患者是由严重贫血、肾炎、心脏病、子宫发育不全、肿瘤等引起的闭经，应采取相应的治疗措施。

Chapter2

第二章
调养经络，让女人安然度过孕产期

按摩三个穴位就能让你吃得香，不呕吐

女性生活馆

同事小陈怀孕了，大家都为她高兴，可是她的痛苦也是我们有目共睹的。她的妊娠反应十分厉害，每天在办公室工作时可能会突然感到要呕吐，然后就拼命往卫生间跑。而且不想吃东西，脸色发白，还消瘦了不少，不但耽误了工作，还痛苦地忍受着身体上的煎熬，我们真是看在眼里疼在心里。

怀孕后发生的恶心、呕吐现象称为"妊娠呕吐"或"妊娠反应"。多数妇女怀孕6周以上时，常常出现恶心、呕吐现象，一般多在早晨起床后数小时内发生。症状轻者仅会食欲下降，晨间恶心或偶有呕吐。少数人症状明显，吃什么吐什么，不吃也吐，甚至吐出胆汁。呕吐也不限于早晨，可能全天都会发生，严重时出现脱水和酸中毒。有的孕妇除了呕吐外，还有饮食习惯的改变，如喜欢吃酸性食物，厌油腻，嗅觉特别灵敏，嗅到厌恶的气味后即可引起呕吐。

妊娠的时候，为了肚子里的宝宝，孕妇的阴血都下行到冲任养胎，最后冲气偏盛，脾胃气血偏虚，胃气虚不能向下推动食物，反而会跟着冲气往上跑，所以不想吃东西，甚至厌食，营养跟不上就会发生头晕、浑身无力的症状。

所以要想不呕吐，吃得香，睡得好，最好健脾胃，把胃气拉下来。而健脾胃最好的办法就是按揉足三里、内关和公孙穴，上面例子中的小陈只要懂得这种按摩之道就不至于受这样的痛苦了。

足三里是胃的下合穴，跟胃气是直接相通的，按揉这里可以将胃气往下导。所以，平时用手指按揉足三里或者艾灸都可以。

内关是手厥阴心包经的络穴，按揉它能使身体上下通畅。内关穴位于前臂

内关穴

足三里

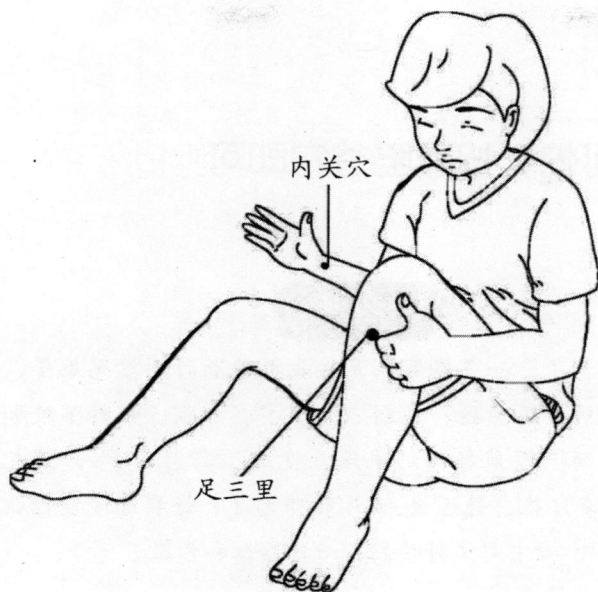

内侧正中，腕横线上方两横指、两筋之间。公孙是足太阴脾经的络穴，按揉它能调理脾胃，疏通肠道，肠道通畅了，胃气也就跟着往下走了，另外，跟它相通的冲脉正是妊娠呕吐的关键所在。公孙穴位于脚内缘，第一跖骨基底的前下方，顺着大脚趾根向上捋，凹进去的地方就是。

建议你每天早晨按揉足三里3分钟，下午5～6点按揉内关穴和公孙穴4～5分钟，长期坚持一定会得到很好的效果。

健康风向标

妊娠者在食物的选择上，应以易消化、清淡为主，此时不应进食过于油腻、滋补的食物，以免增加对胃肠道的刺激。富含碳水化合物、蛋白质、维生素的食物应为首选，如粥、豆浆、牛奶、藕粉、新鲜的蔬菜水果等，可少食多餐，但要有规律。

妊娠浮肿不可怕，按揉陷谷穴即可

女性生活馆

　　朋友学敏怀孕了，一直在家休息，我也很长时间没见她了，于是选择了一个周末专门去看望她。见到她时吓了我一跳，她的下肢和脚部都肿了，伸出手，两只以前纤细的手现在变成了"肉包子"，腿也变成了"大象腿"。哎，真可怜。她还说："不但难看了，还要忍受隐隐作痛的痛苦。"见她那样子，心中突然对孕妇有一种怜悯和崇敬。

　　有些孕妇，在妊娠中、晚期会出现下肢浮肿。轻者限于小腿，先是脚踝部，后来慢慢向上蔓延，严重的可引起大腿、腹壁或全身浮肿。之所以出现这种情况，完全是由于怀孕后盆腔血液回流到下腔静脉的血量增加，而增大的子宫又压迫了下腔静脉，使下身和下肢的血液回流受阻，因而下肢静脉压力升高，以致小腿浮肿。所以，要想消除浮肿就要使血液流通顺畅，而要使血液上下顺畅就要按揉陷谷穴。

　　陷谷穴在脚背上第二、三趾骨结合部前方的凹陷处，按压此处可以消除脸部浮肿、水肿、脚背肿痛。如属全身性浮肿，那就应尽快找医生查明原因。在积极进行治疗的同时，也

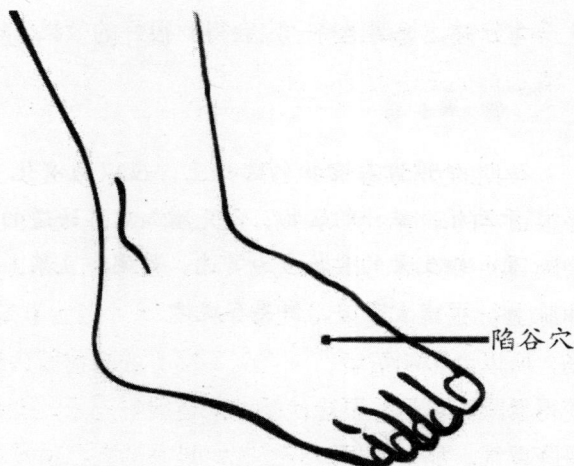

陷谷穴

可以用其他方法进行辅助治疗。

第一种方法是以中等力度手法，做全身按摩，以促进全身血液循环。

第二种方法是对腰背部进行热敷。

施行以上方法后，就可以促进肾脏血流量的增加，从而起到利尿消肿的效果。

健康风向标

妊娠浮肿者宜常吃赤小豆、鱼、冬瓜、黑豆、玉米须、牛奶、羊奶、鸡肉、鸭肉等营养丰富、补虚利水的食品。

五个穴位让你不再郁郁寡欢

女性生活馆

就因为老公一句"今天的菜有点儿咸"的话，小芬竟然像孩子一样大哭起来，无论老公怎么解释她都听不进去。除了平时爱发小脾气，小芬有时还甚感孤独和伤感，常常因为一件小事而潸然泪下，她也不知道自己到底是怎么了……

孕期的女性呕吐酸水或苦水、胸闷、头晕、爱发脾气，情绪不能自控，都是很正常的事情。因为在怀孕以后，为了保证肚子里宝宝的健康成长，气血都会跑到冲任养胎，肝血就会比平时少很多。水液一少，火就会变得更旺，随着冲脉上行犯胃，所以呕吐酸水或苦水。因为五味之中酸与肝相对，肝气不顺畅，所以会影响情绪，一遇到不顺心的事情就会伤感或者郁郁寡欢，脾气也会变得暴躁。可见，要想使孕妇的情绪好起来，变得乐观和舒服就要清热，同时要降胃气。那么如何清肝热呢？最好的办法就是从太冲一直按揉到行间。

太冲穴是肝经的原穴，原穴的含义有发源、原动力的意思，也就是说，肝脏所表现的个性和功能都可以从太冲穴找到形质。太冲穴能给一个人注入能量、排解郁闷，能让一个人心平气和。最好在晚上 7 ～ 9 点按揉此穴位，因为肝经旺的时间是夜里 1 ～ 3 点，孕妇要保证睡眠，所以改在心包经最旺的时候。按揉足三里可以降胃气，如果再加上按揉内关和公孙穴效果会更好。

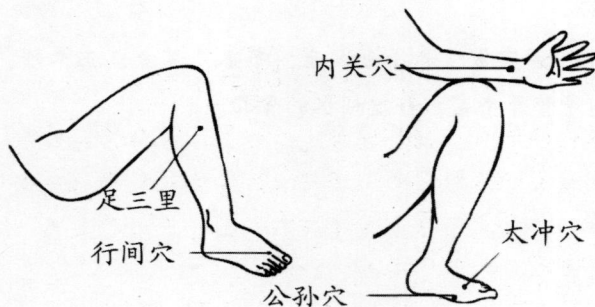

内关穴

足三里

行间穴

公孙穴

太冲穴

孕妇若长时间处于悲伤、忧愁、焦虑的不良环境下，或者有大怒、过喜、骤惊等强烈的刺激，都对胎儿不利。长期焦虑不安、惊恐，可使胎儿形成不稳定的性格和脾气。所以一定要坚持按揉上面这五个穴位。

健康风向标

孕妇首先要加强修养，做到心胸宽广，切忌暴躁、恐惧、忧郁和捧腹大笑。另外，还要养成良好的生活习惯，不去闹市区和危险区，不看淫秽、凶杀读物与影片，多看美丽的景色、图片，多读优生优育和有利于身心健康的书刊，多听轻音乐等。

新妈妈要想奶水变多就要按揉乳根穴

女性生活馆

　　每个刚做妈妈的女人都希望自己的孩子能吃上自己的乳汁，这可能也是女人一生最大的幸福。可是有些女性偏偏就没那么幸运，有的新妈妈奶水就很少，不够孩子吃，有的妈妈甚至一点儿也没有，这实在是一件让人头痛的事情。

　　"缺乳"亦称"乳汁不足"、"乳汁不行"、"乳少"，是指产妇在产后乳汁分泌量少或完全没有乳汁，不能满足婴儿的需要。现代医学认为产后缺乳的原因很多，孕前乳腺发育不好，孕期因胎盘功能不全等使乳腺发育不良；分娩时出血过多；营养不良；有慢性疾病，使得身体健康状况很差；情绪不佳等精神因素影响内分泌功能；哺乳方法不正确；休息不足，均可引起乳汁分泌减少。

　　要想以指压法改善产后缺乳的状况，除了选择穴位准确，坚持按压之外，还必须结合食物疗法，才能收到较好的疗效。多食高蛋白流质食物对缺乳有突出的功效，如猪蹄汤、鲫鱼汤等。

　　按摩膻中穴、乳中穴、乳根穴、神封穴等对产后少乳有效，它们都分布在乳房附近。这些穴位都可以用拇指点按，或边按边揉，每穴按揉5分钟。当穴位产生酸

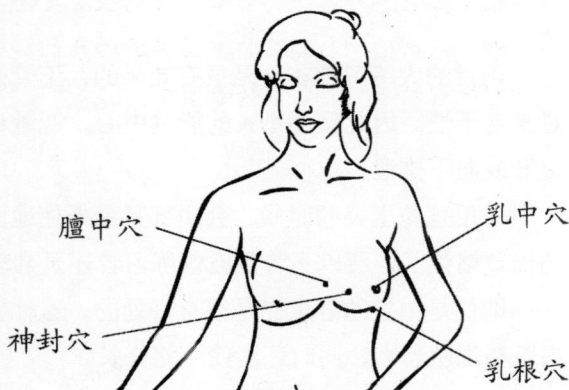

膻中穴　　　　乳中穴

神封穴　　　　乳根穴

胀感时，再换一个穴位。自我指压时，其顺序一般是先以右手拇指按揉左侧穴位，然后再以左手拇指按揉右侧穴位。

健康风向标

产妇不宜食用大量油腻催乳食品；在烹调中少用煎炸，多取易消化的带汤的炖菜；食物以偏淡为宜，遵循"产前宜清，产后宜温"的原则，少食寒凉食物；避免进食影响乳汁分泌的麦芽、麦乳精、啤酒等。

"莲花坐"可以打通人体的经络

女性生活馆

从怀孕8个月开始，我又恢复了瑜伽静坐，我最喜欢的坐姿叫"莲花坐"，也就是我们常见的双腿盘起坐姿，很多佛像都采用这种坐法。怀孕8个月的"大肚婆"的腿大多数已经变成冬瓜了，我却还在盘腿叠坐，老公看了自然很不理解，问我为什么非要坚持这样做呢？我不知道，只是觉得这样很舒服。

正常的人练习莲花坐是很有效果的，不管是瑜伽还是中医，都认为人的能量来自于性，因此腰部是人的能量中心。能量可以沿着人体看不见的经络向上提升或向下排泄。

采用莲花坐姿的时候，会阴部紧紧抵住地面，将人体最大的一个能量向下的出口堵住了，所以不管是瑜伽练习者还是佛教徒都用这种方式修行。

即使是单纯的静坐也是很有好处的，这种坐姿使血液集中在小腹，能滋养内脏和生殖器官，同时还能使小腿修长。

所以，即将怀孕而不怕痛的姐妹们可以试试莲花坐，这样不但能提高怀孕后自身的免疫力，防止早产、痔疮等，还能修养身心，让自己的情绪好起来。

健康风向标

对于已经怀孕又没有基础的姐妹们还是不要轻易尝试"莲花坐"这种一开始可能给你带来痛苦的坐姿，但是有基础的姐妹可以尝试"莲花坐"。

Chapter3

第三章
春夏秋冬的养生保命之穴不能不知道

做健康人必须懂得与大自然同呼吸

兰兰是个在南方上大学的北京女孩，又该放寒假了，想起北国的冬天，兰兰就发愁。虽然才上大二，但是她已经深深地爱上南国的温煦了。不过，刚下火车的一刹那，兰兰并没有感觉到刺骨的冰冷。原来"这个冬天不太冷"，兰兰高兴得欢呼雀跃。可是前来接站的妈妈告诉她："夏天不热，冬天不冷，迟早要生病。"

人虽然被称为"万物之灵"，但在广袤无际的宇宙中，人不过是一个小小的个体而已。这个小小的个体虽然也是一个小宇宙，但它时时刻刻都在受大宇宙的影响。

人类的生命过程是遵循着一定的自然规律而发生发展的，大自然是人类活动的场所，自然界存在着人类赖以生存的必要条件，自然界的变化直接或间接地影响着人体，使之发生相应的生理和病理变化。

人类的生理病理变化不仅有其自身的规律性，而且与天地自然的变化息息相关。因此，顺应人体生理病理之自然和天地变化之自然来养生治病应是养生与康复的基本原则。

天地环境的变化之于人体生理的相关性，如某些生理现象的四季节律、月节律、日节律、气候差异、地理差异等已越来越多地被现代科学研究所证实。例如：有人结合现代研究发现了人体内有多方面的年周期变化，如血浆皮质醇在秋冬季节每日平均浓度和分泌量高于春夏；血中 T_3 和 T_4 浓度有季节性变化：夏季最低，冬季最高；有学者证实不同的季节手指血流速度不同，对寒冷引起的皮肤温度反应也不同，即使冬夏保持相同室温，仍表现出反应差异，提示血管运动中枢有四季节律。以上这些都证明了中医对四时阴阳节律认识的正确性。

在月节律方面，越来越多的资料表明，人体的体液代谢与月球引力的作用密切相关。妇女的月经是体液的一部分，月经的周期变化受月亮圆缺的影响。在月经周期中，体温、激素、代谢、性器官状态等的生理改变也有月节律变动。研究还发现妇女免疫机能也有月节律；人的出生率也有月节律，在月圆时出生率最高，新月前后出生率最低；一些学者研究表明，人体从诞生时起，直到生命结束，都存在分别为 23 天、28 天、33 天的体力、情绪和智力变化的月周期。当人处在体力、情绪和智力高潮时，则表现为体力充沛、心情愉快、思维敏捷、记忆力强，具有丰富的创造力，而处于低潮时则相反。

其他诸如体内某些激素的昼夜节律变化、气温对人体植物神经系统和内分泌功能的影响、湿度对人体的热代谢和水盐代谢的影响、风对人体的热代谢和神经系统的影响、太阳辐射的生物效应等气候变化及环境变化对人体生理病理的影响更被许多学者所证实。

春夏秋冬也有不同的养生保命之穴，根据季节的不同就要按揉不同的穴位，这才是健康养生的最好办法。

显然，全部了解这些规律并顺应它们来养生治病对大众而言不太现实，但你只需要记住一点就够了：做聪明人，要懂得和大自然同呼吸共命运。

健康风向标

《内经》云："阳出则出，阳入则入。无扰筋骨，无见雾露。为此三时，形乃困薄。"意思是说：太阳升起才出门，太阳落山就回屋。不使筋骨受累，不要身披露和雾。如果违背这三忌，身体困乏瘦如骨。虽然你现在感觉不到不适，但实际上，你已经背离了四季养生的安全法则，估计你早就已经处于亚健康状态了。

太冲、鱼际和太溪——春季的保肝重穴

女性生活馆

晓曼是某电视台"保健养生"节目的记者，阳春三月的一天，正在住院的徐大爷告诉她，他有慢性肝炎，原本病情控制得不错，不知道为什么一到春天就变严重了，浑身感觉不舒服，吃点儿油腻的东西就感觉"烧心"。分析病人增多的原因时，医生说，春天是细菌、病毒繁殖、滋生的旺季，肝脏起着代谢、解毒的作用，负担最重，易受侵袭。

春季之始的气候是温暖多风的，阳气生发，万物生长，是其常；有时春雨连绵，寒潮袭击，气候变寒冷多湿，是其变。人们生活起居必须御其温暖多风太过而致的风热之邪，或风寒湿冷之气。若衣被无度，饮食失节，起居不避外邪，往往受风热之邪或风寒之邪而致病。

三月阳光明媚，也是万物萌生的阶段，正是调养身体五脏的大好时机。按照中医"四季侧重"的养生原则，春季补五脏应以养肝为先，因为春季气候的总特点是"温燥、多风"，这时，我们的身体最容易受温燥之邪的侵袭，也就是肝最容易首先受害，为了防患于未然，我们一定要保护好肝脏。

春季养肝有一个绝妙的办法就是按揉太冲、鱼际和太溪三个穴位。具体步骤是：

早晨起床后先按揉肝经上的太冲穴，肺经上的鱼际穴和肾经上的太溪穴3分钟；晚睡前用热水泡脚，然后依次按揉鱼际、太冲和太溪穴，每次每穴3分钟，再加按肺经上的尺泽穴。

春季养肝除了要按揉穴位之外，还要注意饮食调养：多吃些韭菜等温补阳气的食物。韭菜又被叫做阳草，含有丰富的营养物质，春天常食韭菜，可增强

大鱼际

太溪穴

尺泽穴

太冲穴

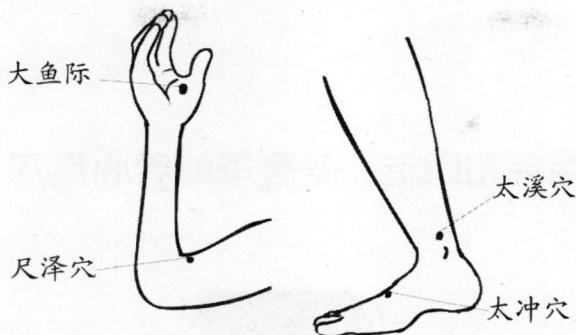

人体脾、胃之气。此外，葱、蒜也是益肝养阳的佳品。大枣性平味甘，养肝健脾；还可适当吃些荞麦、荠菜、菠菜、芹菜、莴笋、茄子、荸荠、黄瓜、蘑菇等，这些食物均性凉味甘，可润肝明目。适时服用银耳之类的滋补品，能润肺生津、益阴柔肝。少吃酸味、多吃甘味的食物以滋养肝脾两脏，对防病保健大有裨益。

健康风向标

按照中医理论，怒伤肝。因此，春季养肝，要注意调节情绪，驾驭和调控好自己的喜、怒、忧、思、悲、恐、惊七情。如果思虑过度，忧愁不解，就会使体内气升降失常，从而导致脏腑功能紊乱而发生疾病。所以，平常要重视精神调节，保持心情舒畅，切忌愤然恼怒。

阴陵泉、百会和印堂——夏季的养心重穴

女性生活馆

张老先生夫妇和儿女们分开住。暑假的时候,女儿、儿子都拖家带口地回来看望爸妈,张老先生和老伴满心欢喜,虽然一下子添了七八张嘴,忙里忙外的,但不亦乐乎。好不容易忙到晚上8点,做出了一桌丰盛的大餐,张老先生的老伴虽然心脏不好,但因为高兴就和儿子、女婿喝了几杯酒,正在高兴的时候,她忽然捂紧胸口,只见她嘴唇发紫,并昏厥过去。幸好全家及时把她送往医院,才把她从心肌梗死的死亡线上抢救过来。

夏季,是一年中气温最高的季节,人体的新陈代谢十分旺盛,很多人在炎热的夏天常常出现全身乏力、食欲不振、容易出汗、头晕、心烦、昏昏欲睡等症状,甚至被中暑、呕吐、腹痛、腹泻、心肌梗死等疾病困扰。

为什么会出现这些现象呢?一年四季中,因夏季属火,又因火气通于心,火性为阳,所以,夏季的炎热最易干扰心神,使心神不宁,引起心烦。而心烦就会使心跳加快,心跳加快就会加重心的负担,这也是夏季心脑血管疾病、肺心病、心肌梗塞等发病率明显增高的原因,就像上述案例中的张老先生的老伴因为不注意生活的小细节而导致心肌梗死的发作。因此,夏季养生重在养心。

夏季养心就要坚持每天按揉阴陵泉、百会和印堂。因为这三个穴位可以健脾利湿,能保护好心脏。

每天坚持按揉阴陵泉3分钟,可以保持整个夏天脾胃消化功能正常运转,还可以把多余的"湿"去掉,为秋天的健康打好基础。按揉百会可以大大提升人体的阳气,让人神清气爽。百会位于头顶最上方,也就是两耳往头顶连线的

中点处，每天用两手的中指叠压起来按在穴位上 3 分钟就可以了。每天按揉印堂可以使大脑清醒，眼睛明亮，它在两眉中间的位置，每天用拇指和食指捏起眉间的皮肤稍往上拉 100 次，只要每天坚持就能达到养心的目的。

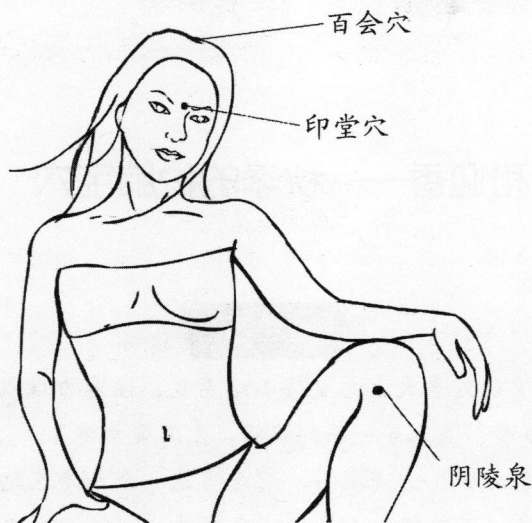

夏季养心还要注意饮食：

1. 夏天多吃"苦"。因为苦味多能去火，且苦味入心，"苦"能清心火。可常吃苦瓜、莲子心等苦味食品。

2. 多吃清暑利湿之品，如西瓜、绿豆、西瓜翠衣（西瓜的外皮）等。西瓜被称为"天然的白虎汤"，清凉去火最好；西瓜翠衣是最好的消暑食品，做汤或凉拌均可。

3. 夏天要多喝水，夏天热重、阳重，出汗多易耗津伤阴。而水为阴，喝水可以直接养阴生津，是夏天养生的第一良方。

4. 夏天要多吃生津养阴之品，如藕粉、大米粥、水果、蔬菜等。

5. 夏天多吃芳香、辟秽之品，如薄荷、生姜等。

健康风向标

夏季养心还要注意以下一些方面：夏天要早睡早起；多开窗，中午为防暑热进入室内可关窗；冰箱要经常清洗、消毒，食物要用保鲜膜保鲜；厨房里生、熟菜板要分开；避免电风扇对人直吹，不开着电扇睡觉；空调温度不低于23℃；夏天要勤换衣服、勤洗澡。

鱼际、曲池和迎香——秋季的护肺宝穴

女性生活馆

最近，68岁的刘老太太总觉得心烦意乱，注意力难以集中，甚至还会出现心慌、多梦、失眠等一系列症状，尤其爱发脾气。

上周五她约好和儿女喝夜茶，可是当她一个人走在路上，看到别的老人有老伴相陪，不禁想起刚去世半年的丈夫，伤心之下，她竟然在大街上哭起来。在酒楼喝茶时，小孙子不小心打碎了一个小碗，刘老太太更觉得心烦，连茶点也没吃就回家了。而且这几天一直睡眠不好，令家人担心不已。

恰好刘老太太女儿的公公是位医生，他告诉儿媳：秋天老人容易有悲秋情怀。人的机体在经历了酷暑的煎熬进入秋凉之后，正处于生理性休整阶段，一般人都有疲倦困顿、昏昏欲睡的"秋乏"现象，需要通过增加睡眠来积极调整和协调身心。而老年人却因生物节律紊乱，无法更多地睡眠，以致产生委靡不振、郁郁寡欢等症状。所以要通过衣、食、住、行全面调节，才会好转。

在中国的传统医学观念里，秋气与人体的肺脏相通，肺脏开窍于鼻，而其表现在皮毛。秋天，秋高气爽也带着燥气，若肺气失调，则容易出现鼻干口燥、干咳、喉咙痛等上呼吸道疾病。所以，秋季养生要注意呼吸系统的维护，特别要注意肺部的调养。

在刚刚过去的夏天里，人们喝冷饮，穿衣盖被都尽量轻薄，使得脾胃虚寒，而脾又为"肺之母"，脾受凉必然会对肺有影响。中医还有"肺为娇脏"的说法，就是说肺既怕冷也怕热，既怕干也怕湿。即使在其他季节里没有注意养肺，在秋季也要对肺特别关注，因为在适合养肺的季节里多呵护肺，可能会收到事半功倍的效果。

秋季护肺，按揉穴位是一个很好的选择，这些穴位包括鱼际、曲池和迎香穴。

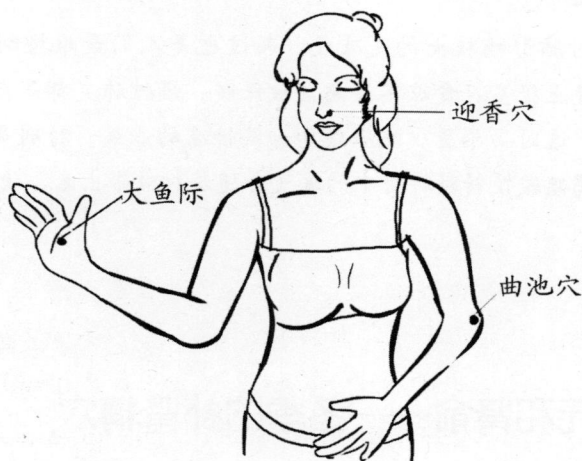

鱼际可以不拘时地进行按压，每天最少 3～5 分钟，并要长期坚持。

曲池有很好的清热作用，每天下午 1～3 点按揉这个穴位最好，因为这段时间是阳气最盛的时候，按揉此穴位可以使阳气降下来。

曲池的位置：屈肘成直角，在肘横纹外侧端与肱骨外上髁连线中点。完全屈肘时，在肘横纹外侧端处。

迎香穴属手阳明大肠经。"不闻香臭从何治，迎香二穴可堪攻"。顾名思义，如果鼻子有毛病，例如因为感冒或鼻子过敏等引起鼻腔闭塞，以致不闻香臭，治本穴有直接效果。每天双手按在两侧迎香穴上，往上推或反复旋转按揉 2 分钟，鼻腔会明显湿润、通畅很多。迎香穴就在鼻翼两侧。

秋季护肺除了要按揉以上三个穴位之外，还要注意饮食。人们在饮食中还要注意少吃刺激性的食物，甜酸苦辣咸都不要过分。除了温肺外，还应尽量吃些润肺的东西，如杏仁、桃仁等干果，对肺都有滋润作用。另外，还要多喝水，这也是秋季养肺最简便的一招。秋天每日至少要比其他季节多喝水500毫升，以保持肺脏与呼吸道的正常湿润度。也可以直接从呼吸道摄入水分，方法是将热水倒入杯中，用鼻子对准杯口吸入蒸汽，每次10分钟，早晚各一次即可。

健康风向标

秋季对肺影响较大的是凉气，而这也是人们最难控制的。秋天白天很燥热，晚上很多人贪凉不注意盖被保暖，慢性肺炎都是在这种情况下得的。另外，这时要尽量少吃冷饮和一些性凉的瓜菜。特别是要少喝碳酸饮料，因为喝碳酸饮料时脾胃中的暖气会随着打嗝带出来，使肺受寒。

丹田、关元和肾俞——冬季的补肾精穴

女性生活馆

一到冬天，安妮的尴尬事就来了：每次和男友一起逛街，即使憋着不喝水，也老想上洗手间。排了好长时间的队，终于轮到她了，可是每次尿量又特别少，真觉得亏得慌。出来没一会儿，刚逛一会儿，她又要上洗手间了，这样的事情虽小，但也扫兴！

中医分析：通常，女性尿频一个最明显的特征就是"量少次多"。中医学认为，当身体素质下降时，尤其是到了冬季天冷的时候，女性肾气出现虚亏，膀胱会表现出气化无力，膀胱平滑肌的肌纤维张力就会下降，使得膀胱的伸缩性降低，肾关不固，就像大门关不严，所以会出现尿频和尿失禁现象。

祖国传统医学认为，肾为先天之本，生命之源，有藏精主水、主骨生髓之功能，所以肾气充盈则精力充沛，筋骨强健，步履轻快，神思敏捷；肾气亏损则阳气虚弱，腰膝酸软，易感风寒，生疾病等。冬季肾脏机能正常，可调节机体适应严冬的变化，否则，会使新陈代谢失调而引发疾病。所以，冬季注意对肾脏的保养是十分重要的。

"男怕伤肝，女怕伤肾"，古话说得没错！补肾就是女人美容的新革命，只有肾健康了，才能拥有"气血两旺，容颜焕发"的状态，胜过你频繁地去美容院，或是买名贵的化妆品。古今保健专家都把冬令视为进补的大好时机，进入 12 月份，女人该补肾了。

坚持按摩可去乏护肾，按摩可采用以下方法：

1. 揉按丹田：两手搓热，在腹部丹田处按摩 30 ~ 50 次。丹田乃人之真气、真精凝聚之所，为人体生命之本。此法常用，可增强人体的免疫功能，提高人体的抵抗力，从而达到强肾固本的目的，有利于延年益寿。

关元穴

肾俞穴

太溪穴

2. 按揉关元、太溪和肾俞：每天晚上临睡前，先泡脚 1 小时，然后按揉两侧太溪穴，每穴 5 分钟，然后艾灸关元 5 分钟，再艾灸两侧肾俞 5 分钟。

冬天除了要坚持按摩护肾外，还要多吃益肾食品。因为肾虚有阴虚、阳虚之分，进补时对症用膳，方可取得显著效果。肾阳虚可服羊肉粥、鹿肾粥、韭菜粥等温肾壮阳之物；肾阴虚宜服海参粥、地黄粥、枸杞粥等滋补肾精之品。

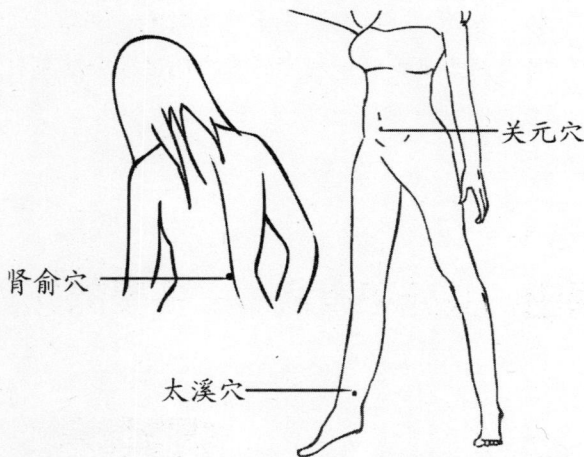

中医学认为，肢体的功能活动，包括关节、筋骨等组织的运动，皆由肝肾所支配，故有"肾主骨，骨为肾之余"的说法。善于养生的人，在冬季更要坚持体育锻炼，以取得养筋健肾、舒筋活络、畅通气脉、增强自身抵抗力之功效，从而达到强肾健体的目的。

第四篇

停下来享受
经络按摩带给你的时尚与美丽

Chapter1

第一章　小动作，大功效
——解除白领丽人的疾病困扰

时感胸闷怎么办，请敲消泺穴

女性生活馆

　　一紧张就胸闷的张小锦，看书、看报、看电视都会莫名地胸闷憋气，上腹堵胀，胸口就像勒上了禁锢的外壳，不停喘息，经过西医多次体检也没查出一点毛病来，都认为是神经紧张造成的。在一次聚会上，她的一个朋友无意间用拳头捶了她的胳膊一下，原本是玩笑之举，没想到，她却觉得胸闷好了，真是奇怪。

　　胸闷是指胸部闷，有堵塞感或气短，伴见心悸、胸痛、情绪不宁、头昏体倦、食少腹胀等症。胸痹、心悸、痰饮、肺胀等病症均可见此症。胸闷形成的原因有两种：

1．情志失调

　　忧思恼怒，气机失常。脾不化津，聚湿生痰；肝气郁结，气滞血淤。痰淤交阻，胸中气机不畅，则为胸闷。情绪不好、爱生气的人常有此症。

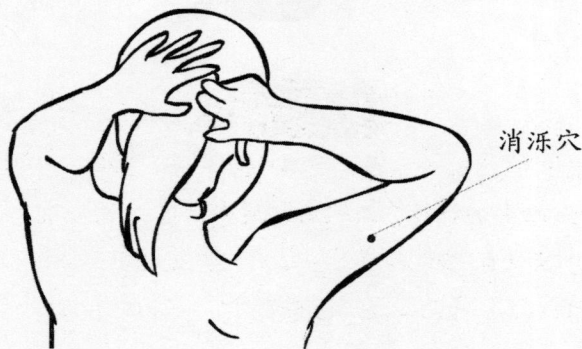

消泺穴

2．饮食不当

过食膏粱厚味、肥甘生冷，损伤脾胃，运化失常，聚湿生痰，痰阻脉络，气滞血淤而成胸闷。

3．其他病所致

冠心病、胸膜炎、肺气肿等疾病可出现胸闷。

作为现代的白领，由于工作紧张，压力大或者饮食不当，可能会有胸闷、心悸的现象，如果您有这种症状请不用慌，只要您每天坚持敲消泺穴就能治愈。因为胸闷是上焦气郁而成，而消泺穴正是三焦经的一个穴位，所以如果平时感到胸闷，可以按摩或者敲击此穴位，它会使你的胸闷消失。上面的那个朋友的"无心之过"，却解除了张小锦的"无名之苦"，真是"无巧不成书"。

健康风向标

胸闷气短的女子，一般若经医院检查未发现器质性病变，不必治疗，只要敲消泺穴就好。除此之外还要保持心情舒畅，愉快乐观，加强体育锻炼，心平气顺，便可自然安康。

敲小肠经治愈颈肩综合征

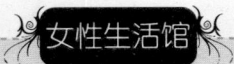

女性生活馆

"娜娜，过来帮我揉一下肩，好疼啊！"同事依依天天这样召唤我。看她趴在桌子上难受的样子，我只好"遵命"了，说实话，她难受，我又何尝不是呢？天天坐在电脑前打字，肩部总是感觉发麻、发酸、发僵，有时连工作都干不了，我又能怎么办呢？

在我们周围有许多女性颈肩不适，特别是很多白领女性都深受颈椎病的困扰。这是因为长期伏案工作，肌肉关节软组织得不到锻炼，而且经常一个姿势保持很久，造成部分肌肉长期紧张，得不到应有的休息。另外比如一些肌肉却长期休息，得不到锻炼。

长期在电脑前工作的女性会经常感觉颈肩部发紧、发酸、发僵，有时甚至整个后背都有上述症状，这样下去，不但会耽误工作，还会使身体素质直线下降。所以每个"奋战"在电脑前的白领们一定要予以重视，不能无视自己的小毛病，否则会铸成"大祸"。

那么怎么治愈颈肩综合征呢？在这里，告诉你一个安全、有效、省时、省钱的妙招，那就是敲小肠经（又称肩经），它在手臂阳面靠近小指的那条线，再配合一些不需要任何工具的肌肉锻炼，你会发现那些不好的感觉会马上消失。

首先，沿着手三阳经按揉、推捋和拿捏。因为手三阳经的走向是从手到头，循行的路线经过颈肩部，所以循经按揉拿捏可以很好地疏通这些经的经气，放松沿行的肌肉等软组织，消除肌肉的僵硬感。其次可以点揉穴位：曲池

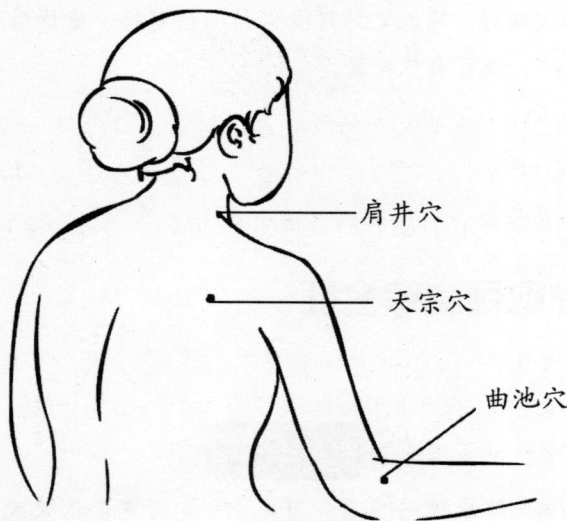

肩井穴
天宗穴
曲池穴

有通经活络的作用；然后就是肩井，按压肩井可以很好地缓解颈肩部的肌肉紧张；还有天宗，点揉天宗能够放松整个肩胛部的紧张感和疲劳感。如果方便的话，最好两个人再相互推一下背部，基本上是沿着足太阳膀胱经的循行路线由

一侧从上到下推，然后从对侧从下向上按摩，力量可以由轻到重。注意从上往下推时力量可以加重，从下往上按摩时力量一般不需太大。这样反复操作 5 分钟左右，就能感觉到整个背部有一种温热感直透到皮下，肌肉紧张造成的酸痛感觉很快就消失了。

❋ 健康风向标 ➤

我们进行了经络按摩后，要努力使自己一天中都能保持挺胸的姿势，以保持肩部的通畅感。

按压太阳穴，让你不再抑郁

女性生活馆

我们经常会听到都市女性这样抱怨："心烦、郁闷，生活没意思，失眠、睡不好！"都市的快节奏生活，使年轻的白领女性容易受到情绪困扰，其中抑郁症最具普遍性，故被人形象地称为"情绪的感冒"。这些疾病是诱发肿瘤的主要因素之一。

抑郁症高发年龄为 21 ～ 36 岁，白领女性患抑郁症的比例是男性的 2 到 3 倍。一般认为，女性易受情绪困扰的因素有两个，一是软弱，二是多愁善感。抑郁症是抑郁情绪长期无法得到排解而形成的。

喜怒哀乐本是人的基本情绪，每一个人都经历过伤心、焦虑、沮丧和抑郁等消极情绪，这些消极情绪往往可以随着时间的流逝而得到自我治愈，而按压太阳穴则可以加快恢复正常情绪的速度。

太阳穴位于眉梢与眼外眦之间向后 1 寸许的凹陷处。当人们患感冒或头痛的时候，用手摸这个地方，会明显地感觉到血管的跳动。这就说明在这个穴位

太阳穴

下边，有静脉血管通过。因此，用指按压这个穴位，会对脑部血液循环产生影响。对于头痛、头晕、用脑过度造成的神经性疲劳、三叉神经痛，按压太阳穴都能使症状有所缓解。

按压太阳穴时要两侧一起按，两只手十指分开，两个大拇指顶在穴位上，用指腹、关节均可。顶住之后逐渐加力，以局部有酸胀感为佳。产生了这种感觉后，就要减轻力量，或者轻轻揉动，过一会儿再逐渐加力。如此反复，每10次左右可休息较长一段时间，然后再从头做起。

健康风向标

在上午接受日照半小时，对经常处于委靡状态、有忧郁倾向的人很有效。每周远离喧嚣的都市一次。郊外空气中负氧离子浓度较高，能调节神经系统。

按揉指尖可以赶跑"瞌睡虫"

"小芳，醒醒，项目策划书完成了吗？"主管拍着小芳的肩膀半气愤半无奈地问。"噢，对不起，还没有，我马上做好，一会儿就给您送过去。"小芳猛抬头，努力睁大张不开的眼睛，主管话也没说转身就走了。"完了，睡觉又被发现了，而且还没完成工作，天天这时候困，怎么办啊？"小芳嘟囔着。

英国埃夫南斯公司发布过一项针对 1000 名上班族的调查结果。上班族的工作效率在中午 12 点达到高峰，接着便走向下坡路。3/4 的受访者在午餐后昏

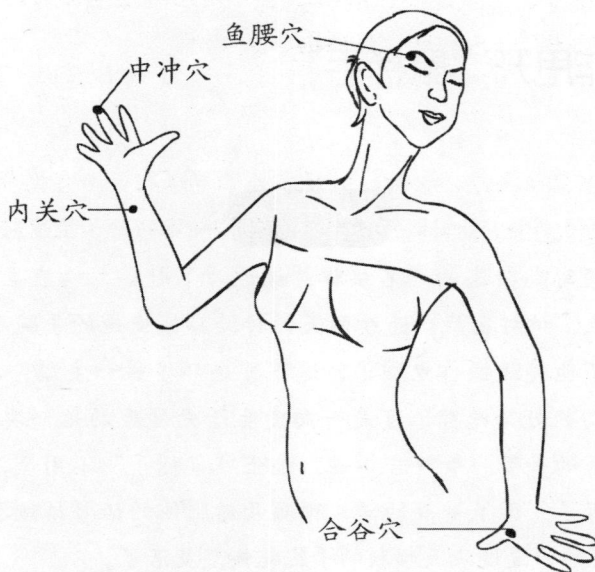

昏欲睡。尤其是下午2点到4点，他们感到极度疲乏、沉闷，工作效率降低，甚至容易犯错。面对这种状况，我们该怎么应对呢？其实很简单，只要你做下面的几个小动作，就可以把午后瞌睡赶跑。

1．指压内关、合谷穴，每次每穴120下，每天早晚各1次。

2．做两条腿下蹲运动，每次50个，每天早晚各1次。

3．做腹式呼吸5分钟，每天早晚各1次。晚上临睡前做效果最好。

在困倦袭来时，反复按揉位于中指指尖正中部的中冲穴，或用中指叩打眉毛中间部位（鱼腰穴），反复数分钟。

赶走午后瞌睡虫还有一个绝妙的办法，就是不捶胸，要顿足，因为足底有很多穴位，站起来，使劲跺几下脚可以振作精神。

✳ 健康风向标 ➜

维生素是真正的清醒剂，不妨多吃些胡萝卜、大白菜、韭菜、马铃薯、柑橘之类富含维生素的食物。碱性食物能中和肌肉疲倦时产生的酸性物质，使人消除疲劳感，例如苹果、海带及新鲜蔬菜。

七个小动作甩开"鼠标手"

女性生活馆

颜颜是某时尚杂志的一名编辑，最近为了赶稿，响应主编的号召，不惜加班加点，挑灯夜战，连续两天的持续奋战使她的手腕不仅隐隐作痛，而且还不能灵活操作电脑了，这下可急坏了她和主编，怎么办呢？同事们一律劝她赶紧吃药，可是一向爱生活爱健康的她坚决不肯吃药，她咨询当中医的爷爷。爷爷告诉她：患上"鼠标手"不用慌，只要做七个小动作就好了。听了爷爷的话，颜颜开始照他的话坚持做了这七个小动作，果不其然，没过几天颜颜的手腕就恢复灵活了。

电脑整天"霸占"着人们的手，这使得患"鼠标手"（医学上称为腕管综合征）的人数越来越多。新加坡最新资料表明，女性是腕管综合征的最大受害者，她们的发病几率大约是男性的 3 倍，年龄多在 30～60 岁。这是因为女性的骨骼要比男性小，手部的腕管先天较男性细，腕部的正中神经更容易受到压迫性损伤。

以下就是防治"鼠标手"的七个小动作，只要每天抽出几分钟，就能有效地防治"鼠标手"。

动作 1：用手表做辅助器械，按顺时针和逆时针转动手腕 25 次。

功效：缓解手腕肌肉酸痛感觉。

动作 2：手握带有负重的水瓶，首先手心向上握水瓶，做从自然下垂到向上抬起动作，然后是手心向下握水瓶，做从下到上的运动，各 25 次，锻炼腕屈肌。

功效：防治腕关节骨质增生，增强手腕力量。

动作 3：舒展身体各部位时，也要用力展开双手的五指，每次 20 至 30 秒钟，做 2 至 3 次。

功效：增强关节抵抗力，促进血液循环。

动作 4：吸足气用力握拳，用力吐气，同时急速依次伸开小指、无名指、中指、食指。左右手各做 10 次。

功效：锻炼手部骨节，舒缓僵硬状态。

动作 5：用一只手的食指和拇指揉捏另一手手指，从大拇指开始，每指各做 10 秒钟，平稳呼吸。

功效：促进血液循环，放松身心。

动作 6：双手持球（如网球），或手掌可握住的事物（如水果等），上下翻动手腕各 20 次。球的重量可依自己力量而定。

功效：增强手腕力量，锻炼肢体协调能力。

动作 7：双掌合十，前后运动摩擦至微热。

功效：促进手部的血液循环。

健康风向标

每天在办公室里利用 5 分钟的时间做腕部拉伸与环绕练习，一年下来，就可以燃烧掉相当于 3/4 磅体重的热量，并使腕部有力。

应对亚健康——腹部按摩

女性生活馆

赵敏的精神状态很不好，天天无精打采，头昏脑涨，食欲不振，还总是失眠，导致工作业绩严重下滑。她去了几家医院，检查结果总是没什么病，这下可愁坏了她，四处寻医问药，可还是失望而归。后来她的一位朋友告诉她是亚健康，去医院也是没用的，但是可以去试试按摩，说不定会有效果。她半信半疑，但为了能扭转现在的状态，她也只好去试试，没想到过些日子，她的精神状态有了明显的好转。她兴奋地说："经络按摩真的是太神奇了。"

亚健康是 21 世纪人类健康的大敌。据统计，女性的亚健康问题比男性高出 4 倍。在一些发达国家，精神抑郁症、慢性疲劳综合征、内分泌失调是导致女性亚健康状态的主要原因。亚健康是介于健康与疾病之间的中间状态。主要表现为身体虚弱，容易疲劳，常有失眠、便秘、食欲不振，工作学习时的注意力不能集中，月经失调，甚至有时会感觉焦虑和紧张，这样的状态直接导致面容憔悴、无光泽，眼圈发黑等。这样的结果使爱美的女士不寒而栗。

而经络按摩法无创伤性、无痛苦、无副作用，安全可靠，而且集保健医疗美容于一体。腹部按摩可以治愈女性的消化不良、月经不调、习惯性便秘，还能振奋精神，调整睡眠状态等。

专家认为，腹部是许多重要经脉循行和会聚之所，是人体气血循环、阴阳生降之通道。通过对腹部按摩，除了可以塑身，还可以防治五脏六腑的病变，并保持十二经脉的气血旺盛、循行畅通，减少废物的滞留，从而对人体各部分起到治疗和调整的作用。主要穴位有中脘、建里、天枢、气海、关元、章门等。

腹部按摩最常见的手法是"二指叠按法"，即两拇指重叠，按得轻重以手下有脉搏跳动和不感觉痛为最佳；另外一法是"波浪式推压法"，即两手指并拢，继而左掌用力向后压，一推一回，由上而下慢慢移动，好像水中的浪花。

❋ 健康风向标 ➡️

亚健康对上班族的危害严重，如要将其危害降至最低，美国上班族的养生之道值得借鉴：

1. 树立先进的健康观念，拥有强烈的自我保健意识。
2. 平衡膳食。
3. 坚持运动。

眼部疲劳怎么办，按摩帮你忙

女性生活馆

"眼好疼啊，真干涩。"同事红锦说着就闭上了眼睛。"滴点儿滴眼液吧，这样会好些。"我提出建议。"我一直在滴啊，可是感觉没什么用，老对着电脑也没有办法。"她无奈地说。"我听说过一个诀窍——按摩穴位就可以缓解眼部疲劳，"同事王华插了一句，"就这样按摩。"接着开始给我们示范，于是我们全跟着按摩起来，没想到，还真管用，眼部舒服多了。

眼睛是人们的视觉器官，又是心灵的窗口，是人们传递情感的信使。明亮而幽深的眼睛，可以增加女人的风韵和气质，是女人人体美的重要内容。但是现在的都市白领们，一天下来总是对着电脑，这样会使眼睛感到疲劳、干涩，长期下去不但会影响视力，还会使眼睛失去往日的光彩，变得污浊暗淡。为了防止这种可怕的事情发生，我们不妨用简便的按摩法来拯救我们的眼睛，让我们的眼睛恢复昔日的美丽和靓丽。具体步骤如下：

第一步，指压、按摩眼周。

1. 在眼睛上方，从眼角朝眼尾处缓缓移动手指。用大拇指的指腹按摩太阳穴处，每按一处深呼吸一次。

2. 将中指放在眼尾处，朝外侧轻轻地提拉按摩。

3. 将手指放在眼睛下方，从眼尾向眼角慢慢移动，用食指和中指（或中指和无名指）指腹按压眼睑。

第二步，按摩脸颊及眉头。

1. 在眉头上方附近用中指和无名指以画圆圈的方式，稍微用力按摩。

2. 在颧骨上方处以画圈的方式按摩，这个步骤再加上一步眉头按摩，平均约按3分钟即可。

第三步，让眼睛做操。

眼睛过于疲劳时你需要做些眼部运动进行调节。

1. 将双眼闭上约2～3秒。

2. 尽量睁大眼睛，停约2～3秒。

3. 眼球分别向左、右移动，各停约2～3秒。

4. 眼睛向上看，约停2～3秒。

5. 眼睛向下看，约停2～3秒。

总之，眼部按摩对保护眼睛、增进视力、消除疲劳都有很大作用，是简便、行之有效的措施，必须持之以恒。操作时注意力要集中，全身肌肉放松，呼吸要自然，按压穴位要正确，手法要缓慢，旋转幅度不宜过大，由轻到重，速度要均匀，以感到酸胀、略痛为宜。

健康风向标

按摩内关、合谷和足三里各120下，每天坚持做两次，这样也可缓解眼部疲劳，使你更快地投入工作。

这样按摩可以缓解你的精神压力

女性生活馆

一位合资公司的市场经理李女士说："没办法，工作逼得你不得不加班，每天从早9点到晚9点，一天都忙个没完，连吃饭也没个准点儿。"李女士的状态其实也是众多中青年白领的状态，加班已经是很多白领人士的家常便饭。在紧张的压力之下，一般人的感觉首先是疲劳乏力，紧接着便是失眠头痛。这种状态持续下去，就会影响内分泌，导致内分泌系统紊乱，身体机能失调，引发更大的疾病。

经济越发展，活跃在各行各业的女性白领们的日子就越不好过。虽然高薪，虽然光鲜，但承受的压力也越来越大。她们的压力并不仅仅是忙到天天要加班，加班的背后隐藏的是激烈的竞争、高质量的业务考核指标、高要求的绩效考核指标。为了完成这些指标，为了不至于在激烈的竞争中被淘汰，许多人不光是忙到顾不上吃饭、喝水，甚至走路、坐车、睡觉都在思考与工作有关的事情。

巨大的精神压力使她们身心俱疲，有的患上了亚健康，有的患上了颈椎病、高血压等，更有甚者还猝死在办公桌旁，真是令人惋惜。那么，奔走在职场上的白领们如何用简便有效的方法来缓解精神压力呢？按摩经络其实是最好的选择，下面我们就介绍一下按摩的具体手法：

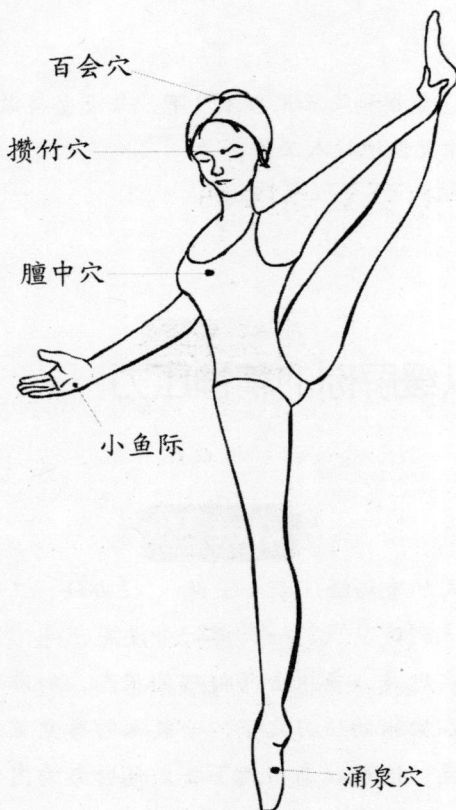

百会穴

攒竹穴

膻中穴

小鱼际

涌泉穴

1. 选取攒竹穴、神门穴等进行快速搓按。

(2) 按揉百会、膻中、涌泉穴各 1 分钟。

(3) 以搓热的双手分置于面部两侧，上下来回搓热，然后从前发际向后发际梳理头发 20 次。

(4) 以双手小鱼际沿同侧，由腹部向下斜擦 20 次。

❋ 健康风向标 ➞

　　压力大的白领最好多吃抗压食物，如糙米、燕麦、蔬菜、牛奶、瘦肉等含维生素 B_1 的食物和洋葱、大蒜、海鲜等含硒较多的食物，每天补充一粒维生素 C。

你知道吗，手指交叉能提神

女性生活馆

"好累啊！"每到下午2点的时候，同事佳妮就会这样叫。"累了，就在桌子上趴会儿。"另一个女同事接着说。"别趴着，越趴越累的！"这时主管正好从这里经过。"这样，两手交叉可以提神啊，你们可以试试。"于是，我们开始模仿了，还真灵，交叉几次后，真的精神了很多。

现代的白领女士一族，可谓是压力甚大，每天都要对着电脑进行超负荷的工作，她们好像没有了生活和娱乐，只有无休止地工作工作再工作，所以感觉精神不振是很正常的事情。尤其是到下午的时候，更提不起精神来，因为白领的工作效率大都在中午12时达到高峰，接着便往下坡路走，尤其是下午2时至4时之间。在这两个小时中，会让人感到极度疲乏、沉闷，总是提不起劲工作，工作效率变低，还特别容易出错，这些都是"午睡综合征"的表现。那么怎么对付"午睡综合征"呢？在这里告诉你一个小绝招，很简单，就是双手交叉运动。

当感到大脑反应迟钝、注意力不集中时，不妨把双手手指交叉地扭在一起。某只手拇指在上交叉一会儿后，再换成另一只手拇指在上。然后将手指尖朝向自己，并使双手腕的内侧尽量紧靠在一起。反复进行几次，这样可以使大脑功能提高，能达到提神的目的。

只要你感觉没精神工作的时候，不妨做做这个"一学就会、一做就灵"的小动作。

健康风向标

一些上班族为了节省时间，中午就叫外卖在办公桌上吃。专家建议，不要连续几小时待在办公桌前，最好到附近餐厅吃午饭，或是到户外呼吸新鲜空气。这些都有助于保持身体及精神状况良好，让人能精力充沛地应付一整天的工作。

累了，拍拍手掌会使您头脑清醒

女性生活馆

小菲是做文案工作的，纷乱复杂的稿件经常会使她头昏脑涨。最近，由于睡眠不好，她感觉力不从心，记忆力减退，无法集中精力工作。请了几天假，可休假回来上班后还是没有什么好转。有一天我从杂志上看到拍击手掌能使大脑清醒，于是我把这个教给她，希望能对她有所帮助。没想到，她说这个小动作还真的挺灵，现在精神好多了，还到处宣扬她的奇谋怪招，希望大家都能保持最好的精神状态。

手掌中央存在着有助于增强心脏功能、开发大脑潜力的重要部位。只要对此进行强烈刺激，大脑潜力就能得到开发，原来早上懒得起床或白天爱打瞌睡的人，头脑就会变得清醒。要达到这个目的，只要强烈地拍击双手手掌就行。

把手掌合起来拍击时会发出"啪啪"的声音，这个声音通过听觉神经传到大脑，可以增强大脑功能。如果早上爱睡懒觉，白天昏昏沉沉，记忆力不佳，注意力也不集中，就应该进行拍击手掌的锻炼。

这种锻炼方法很简单。早上，如果想睡懒觉时，可以把双手向上方伸展，强烈地拍击手掌3次。接着，把向上方伸展的双手放在胸前，再拍击3次。应该注意，手腕要用力伸展，尽量使用左右手的中指牢牢地靠拢。

这样一来，头脑的模糊和心中的烦躁都可以完全消除。早上头脑清醒，是一天最重要的起点。通过拍击手掌，你可以精力充沛地进行学习和工作，并能提高效率。

❋ 健康风向标

每晚临睡前只要用拳头"咚咚"地敲击脚底，就可以消除一天的疲劳。脚底与人体器官有密切的关系，通过敲击对脚底给予适度的刺激，能促进全身血液循环，内脏功能得到增强，全身的精力也恢复了。

Chapter2

第二章 经络瑜伽之魅——
增强的不仅仅是免疫力

经络瑜伽，你了解多少

女性生活馆

潘女士从开始修习经络瑜伽至今已经 6 年了。她说经络瑜伽给了她由内而外的改变，身、心、灵皆得以提升，让她学会了率真、精进、宽容、爱心、感恩、坚韧。不仅心态由烦躁不安转为沉稳平和，而且身体也日渐健康，身轻骨柔，这对一个中年女人来说，简直是一项奇迹！

瑜伽，在印度语中意为"身心处于最佳的稳定状态"，有很多人不知道瑜伽具体有什么样的效果。瑜伽主要以使精神与肉体免受压力与环境的侵扰，并使身心能够很快地适应环境与压力为主，运动肢体的行动能力也同时得到加强。

经络瑜伽是将传统瑜伽与东方医学相结合的练习方法。这种内外兼施的和缓运动，通过独特的瑜伽动作作用于全身的经络和经穴，结合适当的经穴刺激以产生自然能量，达到祛除身体异常、塑身健体的效果。经络瑜伽理论认为，通过经络的联系，人体的五脏六腑以及皮肤筋骨等组织成为一个有机的整体，穴道及经络对脊椎、骨髓、中枢神经、自律神经具有一种反射作用，所以，刺激经穴就可以影响到内脏机能，从而激发人体固有的自然治愈能力。

经络瑜伽通过一系列连贯的伸展、扭动、弯曲体位，利用身体各部位间的接触，可以有效地对各个穴位进行刺激，从而调整内分泌，改善淋巴和血液循环，促进皮肤和各个器官的新陈代谢，祛除人体不良的和有毒的积物，增强人体免疫力。在做完瑜伽动作之后，再对相关重点穴位辅以按摩，可以达到事半功倍的效果。

健康风向标

做上体往下倒立的姿势时，高血压、低血压患者，头部受过伤害的人，晕眩病人、心衰患者不要做，经期妇女也不要做，以免头部充血而发生危险。

清晨令你容光焕发的伸展十二式

女性生活馆

经络瑜伽，是一种内外兼修的和缓运动。每次开始我最喜欢的经络瑜伽，我都能聆听到我身体的声音，那真是一种确定，确定控制自己身体的感觉，从而慢慢地抓到自己的心。一路坚持下来，经络瑜伽让我容光焕发，再加上日常饮食的调养，身心都保持着最好状态。

清晨你可以先做几个回合的瑜伽呼吸：横膈膜呼吸法、单鼻孔呼吸法。完成呼吸练习之后，休息 5 分钟，然后以简单、伸展为主要原则，以消除身体僵硬感、恢复精力为目的进入下面瑜伽的姿势练习。相信这也是你快乐、充实地开始一天的最佳方式。

在远古时代，人们一向是在太阳刚出现在地平线上时，就对着朝阳做拜日式，祈祷阳光给予生命能量。今天，人们更多地利用拜日式来提升精气神和塑造形体。

拜日式由 12 个连贯的动作组成，所以又叫伸展十二式。它作用于全身，每一个姿势都是前一个姿势的平衡动作。它包括前弯、后仰、伸展等动作，配合一呼一吸，加强全身肌肉的柔韧性，同时促进全身的血液循环，调节身体各个系统的平衡，如消化系统、呼吸系统、循环系统、神经系统、内分泌系统等，使人体各系统处于协调状态。

这 12 个动作如下：

1. 直立，两脚并拢，双手于胸前合十，调整呼吸，使身心平静。

2. 吸气，向上伸展双臂，身体后仰，注意髋关节往前推，这样可减少腰部压力，双腿伸直，放松颈部。

3. 吐气，向前屈体，手掌下压，上身尽可能接近腿部（如有需要，可稍弯曲双膝）。注意放松肩膀、颈部和脸部。

4. 吸气，左腿往后伸直（初学时也可膝盖着地），右腿膝盖弯曲，伸展脊柱，往前看。

5. 保持呼吸，右腿退后，使身体在同一直线上，用两手和脚趾支撑全身，腹部和腿部要尽量伸展、收紧，肩下压。

6. 吐气，使膝盖着地，然后放低胸部和下巴（也可前额着地），保持髋部抬高。注意放松腰部和伸展胸部。

7. 吸气，放低髋部，脚背着地，保持双脚并拢，肩下压，上半身后仰，往上和往后看。

8. 吐气，抬高髋部，使身体呈倒"V"形，试着将脚跟和肩膀下压。

9. 吸气，左脚往前迈一步，两手置于左脚两边，右腿往后伸展，往前看。

10. 吐气，两脚并拢，身体慢慢前弯，两手置于地面或腿部。

11. 吸气，两手臂向前伸展，然后身体从髋部开始慢慢后仰。

12. 吐气，慢慢还原成直立。

健康风向标

清晨练习瑜伽时要注意以下几个方面：

1. 室内练习时，开窗通风，保持空气的流通，这对于调息练习尤为重要。可以摆放绿色植物或鲜花。

2. 关注自己的身体状况，切忌强己所难。如果身体有不适的地方或是病状，尽量不要练习过难的动作，也可以完全不进行练习。

3. 女性在经期内，不宜做瑜伽练习。

4. 瑜伽对一些特殊生理状况都有很好的调整作用，如孕期保健，但最好在老师的指导辅助下进行。

增加头部血流的顶峰功

女性生活馆

　　朋友张旭是一个时尚前卫的女孩，练瑜伽是她必不可少的一项运动。而我不同，我对瑜伽这种运动不敢尝试，所以她经常取笑我是"没品位的女人"。我回应说："瑜伽能使你身材好，它能让你的头脑更聪明吗?""当然了，顶峰功就能。"她立刻回答道。"看来你是一个瑜伽盲，瑜伽不但能……"原来瑜伽还有这么多的功效，看来我也应该向它靠拢了。

　　紧张工作一天后，大脑的过度疲劳已经使你无心再做其他的事情了。那么，停下来享受属于自己的美丽和舒心吧。做顶峰功能增加头部的血液流量，让你的头脑清晰，放松内脏器官，还能伸展腿部韧带，将腹肌练得平滑而有力。

　　1.屈膝坐好，臀部坐在脚跟上，两手放在膝盖上。调匀呼吸，感觉内心平和。

　　2.两手放在体前地面，臀部从脚跟慢慢抬起，保持均匀呼吸。

　　3.呼气，抬高臀部，头夹在两手臂中间，足跟抬离地面，保持30～60秒。此时内脏颠倒过来，内脏器官得以放松，头部充满新鲜的血流。注意：不要吞咽，不要咳嗽，以免发生头部充血，引起不必要的危险。

　　4.呼气，屈膝，慢慢将臀部坐在脚跟上，两手放在膝盖上，微微闭上双眼，想象一股新鲜的血液流遍全身每一个细胞，血液循环得以改善。

　　5.待呼吸调匀了，我们再做一次。当臀部再次抬高时，我们将头上体尽量贴近腿部，脚跟高高抬起。这时腿部后侧韧带得到了拉伸，腹肌自然收紧，腹部堆积的多余脂肪可以慢慢消除掉。

6. 呼气，屈两膝，臀部慢慢坐在脚跟上时，我们再次感到全身血流通畅，头脑非常清晰。

7. 做完后，我们以一种舒适的方式坐好，对头部几个重要穴位如百会、通天、风池、风府、太阳、印堂进行揉按。这样可以促进头部的血液循环，而且对头疼和偏头疼也不错的疗效。它对整个呼吸道有刺激作用，可以预防和缓解感冒、头疼、发烧等疾病，提高身体的免疫力。

✱✱ 健康风向标 ➤

患有高血压、低血压，或者经期的女性都不宜做个动作。

扩胸、收腰、减腹的展臂式

女性生活馆

28岁的马丽身材苗条，该凸的凸，该凹的凹，真是让人羡慕不已。当问起她保持身材苗条的秘诀时，她微笑着说："我经常去练瑜伽，应该跟这个有很大的关系。"看来我们这些丑小鸭要想变成白天鹅还得要长期下工夫练习瑜伽呢。

不管是长期伏案工作的白领丽人，还是整天忙前忙后的家庭主妇，请留出一点儿时间给自己享受美丽。展臂式瑜伽运动能让你拥有魔鬼般的身材，能让你真正成为有魅力的现代时尚女郎，还等什么呢？让我们一起做吧。

1. 两脚并拢站好，两手放于身体两侧，大脚趾微微分开，头部放松，面向前方。

2. 两手腕相交于腹前，手心向内。集中精力，内心平和。

3. 深深吸气，两手慢慢上举，延伸至头顶，脸朝上，眼看上方。体会胸部的扩张感,肺活量增大了,吸入了更多的氧。

4.呼气,两手分开,从旁慢慢放下,放于体侧。感觉有更多的废气呼出来。

5.深深吸气,两手从旁上举,举至头顶,两手腕腹前相交,脸朝上,眼看上方。再次体会胸部扩张,肺活量增大,吸入了更多的氧。

6.呼气,两手臂从前放下,放于腹前,完成一个回合。

在这个姿势中,我们的呼吸变得深长而缓慢,呼吸道得到了良好的刺激。待呼吸慢慢平稳,我们再做两次。

1.当手慢慢上升时,头也慢慢抬起。手臂升到头顶上方时,能感觉到身体两侧的强烈舒展。这种练习,很利于减掉腰侧脂肪。同时,对腋窝处也是不错的锻炼,腋窝处皮下脂肪少,容易出现褶皱,若经常进行练习,弹性会增强一些。

2.两手从旁慢慢放下。

3.再深深吸气,手从旁缓缓上举;呼气,手从胸前放下。

待呼吸逐渐平稳,我们再做第3次。

当做完第3个回合时,我们会感觉到疲劳得以消除,全身精力增强了。做完上面的动作可以按摩以下穴位:肩髎、曲池、手三里、外关、内关和合谷等。

❋ 健康风向标 ➤

　　孕妇按揉合谷穴,容易造成流产,所以孕妇不宜按摩这个穴位。

消除疲劳的四种经络瑜伽

同事李冉最近精神状态非常好，加班也不感到累，不像我们，别说加班，就算工作 8 个小时就已经疲惫不堪了。是她锻炼的原因吗？应该不是，我们哪能抽出时间去锻炼啊？上班 8 个小时，再加上路上的时间就已经是 10 个小时了，我们都很纳闷。一次午休的时候，我们就决定向她取经，她直言不讳地告诉我们，她这些日子一直在做经络瑜伽，其中几个动作能消除疲劳。原来是这样，于是我们开始进一步向她展开"攻势"，问她具体怎么做，她嘿嘿一笑说："回头再教你们。"转身就走了。

随着现代社会生活节奏的加快、工作压力的增加，人的疲劳感就会接踵而来。因此，人们通过各种方法来调节自己，以达到消除疲劳的效果。而经络瑜伽的调节功能则能将来自各方面的疲劳症状各个击破。下面就让我们一起学习以下几种消除疲劳的瑜伽动作吧。

1. 摩天式

动作要领如下：

（1）站姿，脚分开。

（2）吸气，踮脚尖，两手臂交叠，举过头顶向上伸展身体。

（3）呼气，脚跟慢慢着地，向后延展背部。

（4）吸气，提脚跟向上抬起身体。

（5）呼气，手臂侧平举打开。

2. 舞蹈式

动作要领如下：

（1）脚并拢目视前方地面，抬右脚用右手握住。

（2）保持姿势 6 次呼吸。

（3）吸气，左手扶树干（在家可扶墙壁或门框），形成舞蹈式。

（4）保持姿势，时间以感觉舒适为限度。

（5）右脚放回地面，慢慢放下手臂，正常呼吸。换侧，重复练习。

3. 蹲式莲花

动作要领如下：

（1）半蹲，均匀呼吸。

（2）吸气，趾尖踮起；呼气，双膝向两侧打开，身体继续下蹲；再吸气，手掌合拢于胸前。

（3）呼气，双膝向两侧延展到极限，脚掌尽量相对，脊柱中正，目视前方，保持 15 秒钟左右，身体慢慢直立。

（4）重复姿势 4 ～ 5 次。

4. 门闩式

动作要领如下：

（1）双膝跪地，将右腿伸向右方，右脚与左膝一线。

（2）吸气，双臂向两侧平举，与地面平行；呼气，躯干和右臂屈向右腿，头放松，身体保持在一个平面上，不要扭动。

（3）保持姿势 1 分钟；吸气，放直身体；呼气，放松手臂。换侧，重复练习。

❋ 健康风向标

　　办公室工作者因为久坐不动，容易形成各种疾病，致使很多人处于亚健康状态。颈椎病、腰椎病等都是办公室一族经常面对的烦恼。经常做一些简单的瑜伽动作，只要坚持一段时间，你将会变得容光焕发、精力充沛。

防治肠胃病的三种经络瑜伽

女性生活馆

冯女士的肠胃近几年一直不好。平常早上吃稀饭，喝牛奶以及平时喝凉开水、汽水，吃辣的食物就会拉肚子。吃药只是一时管用，一旦接触到以上的食物都会再次拉肚子。后来她从报刊上得知做瑜伽可以防治肠胃病，于是她开始坚持锻炼，没到两个月她的肠胃就好多了，吃以上的东西也不拉肚子了，她很兴奋，决定以后就以瑜伽为伴了。

现代女性在每天的生存竞争中，肯定少不了过度的应酬，三餐也很难定时、定量，长此以往，自己的肠与胃很容易就被牺牲了。尤其有遗传困扰的人（家族中有多人罹患胃病）、比较神经质或过度拘谨的人、抽烟的人（特别是在焦躁状态下抽烟），以及胃酸过多的人，更是难逃肠胃病的折磨。

保护好胃肠除注意合理饮食外，做做下面的 3 种瑜伽动作，对于健胃整肠也会有很大的帮助，不信就试一试。

1. 椅上拔瓦斯式

此式可排除胀气，强化胃肠机能，舒缓胃痛及紧张的压力。

动作要领如下：

（1）端正坐于椅上，右腿屈膝踩于椅座上，双手抱住弯曲的腿，做深呼吸。

（2）配合呼吸节奏，吐气时用力抱紧腿，并使大腿挤压腹部。

（3）还原，换另一腿做。

2. 椅子站立后视式

可缓解胃部的痉挛，解除胃肠不适，促进血液循环，亦可使腹部及腰部的肌肉放松，调整身体久坐后所产生的不适感，同时还能使腰围纤细。

其动作要领如下：

(1) 站立于椅子前方，做深呼吸。

(2) 左脚踩在椅座上，吸气。

(3) 上身向左边扭转，右手握住左膝盖，左手背自后手绕过贴紧右腰，吐气，上身尽量向左转至腰部有扭紧的感觉时停住，做深呼吸。

(4) 还原，换边再做一次。

3. 椅上正坐侧弯式

此式可舒解紧张性胃痛，亦可消除胁腹部赘肉，美化手臂及使腰围纤细，同时也能平衡、矫正长期不良久坐姿势所导致的脊椎侧弯。

其动作要领如下：

(1) 坐正于椅上 1/2 处，腰背挺直。

(2) 吸气，右手尽量向上伸展，左手扳紧右大腿外侧。

(3) 吐气时，右手与上身向左侧弯，保持挺胸，停住后做深呼吸。

(4) 还原，换边再做一次。

❋ 健康风向标

对于已经出现的胃病，在饮食上更应该注意。尽量做到定时进餐，每日可定时进食 5～6 次，进食量少，能减轻胃的负担，避免胃部过度扩张；进餐次数多，可使胃中经常存有少量食物，以中和胃内过多的胃酸。病重的人最好食用营养丰富又易于消化的松软食品，如米粥、牛奶等。此外，还可多吃点儿蜂蜜，因为蜂蜜有抑制胃酸分泌、促进溃疡愈合的功能。

消除肩颈痛的"椅上瑜伽"

> 你是不是常觉得肩膀肌肉总是很紧，脖子也常常容易扭痛？其实，从事办公室工作的女性大多有此病，原因就在于关节、肌肉缺少运动，血液循环不良。长时间保持同样姿势，很容易造成肌肉缺血、缺氧或疲劳，严重时还有可能会演变成慢性拉伤，所以办公室一族千万不能掉以轻心。

预防重于治疗，为了避免被肩颈僵痛缠上身，除了保持正确的坐姿和适度的休息外，还要不时拉拉臂、松松肩，或者做做瑜伽。

那么，下面就让我们一起学几招治疗肩颈痛的瑜伽吧。

1. 椅上松肩式

此式可消除肩颈酸痛，促进肩部和颈部的血液循环，防止肩颈僵硬。

动作要领如下：

（1）坐正于椅上 1/3 处，挺直腰背，双膝并拢，两眼平视。

（2）吸气，上身不动，将双肩耸起，止息，停留数秒。

（3）缓慢吐气，上身不动，放松肩膀。

（4）还原，来回重复做数次。

2. 椅上细臂变化式

此式可美化手臂线条，消除手臂赘肉，柔软肩关节，促进肩颈部的血液循环，预防肩部僵硬。其动作要领如下：

（1）坐正于椅上 1/2 处，挺直腰背，双膝并拢。

（2）右手平直上伸，手心向内侧。

（3）左手绕过头部后方抓住右手手肘。

（4）吸气，右手掌心以逆时针方向旋转成手心向下，同时右手缓慢向右侧拉开，直到左手臂拉紧，停留做深呼吸。

（5）还原，换手再做一次。

3. 椅上肩臂式

此式可消除肩颈酸痛，柔软肩关节，美化手臂线条，促进血液循环。其动作要领如下：

（1）坐正于椅上 1/3 处，挺直腰背。

（2）左手肘弯曲，左手掌贴住右边背部，右手握住左手肘处，双肩尽量外扩，停留做深呼吸。

（3）还原，换手再做一次。

（4）左手上举，手肘自上向后弯曲，右手由下向上，绕过背后与左手互握，尽量扩胸挺腰，停留做深呼吸。

（5）还原，换手再做一次。

4. 椅上拉臂式

此式可消除肩颈与手臂的疲劳，预防酸痛，并能消除手臂的赘肉，美化手臂线条。其动作要领如下：

（1）坐正于椅上 1/2 处，挺直腰背，右手向左前方伸直。

（2）吸气，左手缓慢用力地将右手肘往左侧拉紧。

（3）缓慢吐气，如拉绳般，左手尽可能将右手向左拉，而右肩同时尽可能向右侧方向拉开，使右手臂的伸展有紧实感，停留数秒。

（4）还原，换手再做一次。

你有肩酸背痛的困扰吗？那就从现在起练习瑜伽吧。它可以强化腰椎的动作，有了瑜伽基础，更不容易引起运动伤害。练习瑜伽要靠自己的毅力与努力，才能克服身体病痛，重拾健康。同时瑜伽能克服腰酸背痛，更能使你的身材窈窕，保持健康。

健康风向标

瑜伽是一种很好的运动，练习瑜伽可以伸展、放松肌肉，所以也有减缓疼痛的效果。不过，要注意的是，一般人不可以贸然做幅度太大的前后弯仰动作。练习瑜伽应量力而为，且应做好充分暖身的预备工作，才不会引起运动伤害。

孕妇瑜伽，情感身心的"双赢"

女性生活馆

为了腹中的宝宝，阿灵每天都担忧失眠，因而精神紧张。另外，她还要承受腰酸背痛、肌肉抽搐、便秘之苦，又害怕分娩时的痛楚和产褥期的不适；产后她又担心身材走样，甚至患上产后抑郁症……其实练习瑜伽就可以给她排忧解难。

孕妇练习瑜伽可以增强体力和肌肉张力，增强身体的平衡感，提高整个肌肉组织的柔韧度和灵活度；同时刺激控制荷尔蒙分泌的腺体，增加血液循环，加速血液循环，还能够很好地控制呼吸。练习瑜伽还可以起到按摩内部器官的作用。此外，针对腹部练习的瑜伽可以帮助产后重塑身材。瑜伽有益于改善睡眠，消除失眠，让人健康舒适，形成积极健康的生活态度。瑜伽还帮助人们进行自我调控，使身心合而为一。具体方法是：

1. 我们屈膝坐好，脚心相对，两手十指相交，手心抱脚尖。

2. 脚跟向后挪，尽量靠近会阴（刚练习瑜伽的朋友如果感觉这样坐有困难，可以在臀部下放一个小垫子），伸直脊柱，眼望前方。经常保持这种姿势会使我们体态更好，还能消除含胸、驼背的不良习惯。

3. 呼气，以腰部为支点，身体前倾，慢慢使整个上体尽量贴近前侧地面，前额贴近地面，同时肘部紧贴膝盖窝，将两膝压向地面。保持自然呼吸20～30秒。意识集中在脊柱，体会脊柱的延伸感，整个背部肌群得以扩张了。

4. 深深吸气，以头部带动颈部、上背部、中背部、下背部，缓缓回到坐立姿势。

5. 呼气，将两脚稍移开会阴部位，放松。

6. 我们继续来做这个姿势。当上体再次贴近前侧地面时，我们将意识集中在腹部，感觉内脏得以按摩，消化功能得到改善，促进了新陈代谢。腿部患有痉挛疾患的朋友若常做这种练习，痉挛能慢慢得以缓解甚至消除。

7. 吸气，将上体慢慢抬高，回到坐立姿势。

8. 一般每个瑜伽姿势都是做3次，那我们再做一次吧！

9. 当我们的上体再次贴近前侧地面时，我们感觉腿部的柔韧性得到锻炼。对患有坐骨神经痛的朋友来说，这也是一个极佳锻炼。同时还锻炼了髋关节和骨盆区域。

10. 吸气，我们将上体抬起，两脚略向前，两手臂抱在小腿前侧，放松。

做完瑜伽后，对足底一些穴位如涌泉、足心进行按摩。

健康风向标

　　孕妇瑜伽练习要保持身心愉快和舒适，不应当过度疲劳，不必太用力以免引起不适和疼痛。练习时应当有一种伸展的感觉，每个动作要做得自然、优雅和舒展。

Chapter3

第三章 好好养育
我们的根——足部按摩能强身

养生从足部按摩开始

女性生活馆

　　著名歌星孟庭苇虽已年近40，但人们发现岁月并没有在她身上留下过多的痕迹。孟庭苇说，刚出道的时候她并不懂得爱护自己，时常累到忘记卸妆就睡着了。后来她学会了保养机体以让自己"充电"，身体和精神也变得更年轻、更有活力。

　　孟庭苇认为，女人身体的每个部位都很重要，尤其是四肢，因为神经末梢都集中在四肢，所以平时更要多费心思去照顾。晚上睡觉前，她会用乳液，加入一点儿植物精油，按摩足跟5分钟，以防止干裂和促进全身血液循环，这样会把她一身的疲惫按摩走。

　　足部按摩，是一种非药物疗法，通过对足部反射区和足部腧穴的刺激，调整人体生理机能，提高免疫系统功能，达到防病、治病、保健、强身的目的。医学典籍记载"人之有脚，犹似树之有根，树枯根先竭，人老脚先衰"。因而早在几千年前中国人就很重视对双足的锻炼和保养，并运用足部按摩即"足疗"来防病治病，强身健体。

　　养生从足部按摩开始。保证脚的宽松和舒适，足部按摩能改善血液循环、促进新陈代谢，无病者得以健身长寿，有病者得以祛病养身，补"根气"，理"精气"，益"宗气"，功效卓著。另外，足部按摩还具有非常明显的"抗衰老"作用。

　　(1)补脑提神：补脑提神是足部按摩最显著的功效之一。困倦之际，按摩足部大脑、额窦、脑干、垂体等反射区，对脑力劳动者解除疲劳功效显著。

　　(2)补心调律：按摩足部能促进血液循环，增加血含氧量，促进代谢，调节心律。常按摩心、肾上腺、血压点等反射区，对年老体弱者和心脏病患者有补心调律之功效。

(3) 补脾助运：不思饮食之时，按摩足部片刻，顿觉饭菜美味可口，胃口大开。常按摩胃、肠、胆、胰、腹腔神经丛等反射区可健脾助运，增加食欲。

(4) 补肾壮阳：腰酸腿软、夜尿频多、阳痿早泄者常按摩肾上腺、肾、生殖腺、前列腺等反射区，可益肾壮阳，重振雄风。

足部按摩对体弱多病者有"补不足"的作用，对体壮证实者，却有"泻有余"的功效，因为足部按摩能调节肝脏功能，提高人体抗病排毒的能力。

(1) 畅腑通便：腑实内热、肠道麻痹或习惯性便秘患者，经常按摩小肠、升结肠、横结肠、降结肠、乙状结肠和直肠等反射区后，可见肠蠕动明显加强，从而有畅腑通便之效。

(2) 排毒利尿：足部按摩可使人体内有毒物质和代谢产物从小便排出。常按摩肾、输尿管、膀胱、淋巴结等反射区，可增强人体排毒能力，净化人体内环境，减少疾病的发生。

足部按摩让现代人在现代生活的纷繁中体验安闲的意境，让疲惫倦怠的身心在推、敲、捏、拿中体会一种由内而外的放松和舒适。

健康风向标

在足疗治病期间，凡是长期服药的患者，不可突然停药，需等病情确实缓减后再逐渐减量。

足部按摩要分时间、季节和体质才有效

女性生活馆

48岁的王女士是足疗忠实的倡导者，她说是足疗把她从痛苦的深渊中解救出来，并治好了她的高血压、高血脂，还能让她天天保持一个平和、愉快的心理状态，于是她天天去做足疗，从没有间断过。可是最近她有些不解和迷惑，不知道为什么，她最近感觉浑身无力，有时候不想做任何事情，难道足疗也会出问题吗？于是她找了专家问个究竟，原来，足疗也要分时间、季节和体质才有效，不能一概而论。

足部按摩现在很流行。它确实能治疗很多疾病，因为脚是人的根，在根上疏理、疏通的效果当然是最好的。按摩足部如同生炉子一样，炉子里堆了很多煤块，塞得太实了，火就不容易烧得旺、烧得透。只要在炉子底下捅一捅，让其稍有一些空隙、松动，整个炉子的火就会一下燃起来。但若是炉子已经烧得很旺了，你还在反复地捅炉底，只能是大量消耗煤块，浪费能源，而且时间一长，架得太空了，炉子的火没了底气，燃烧的速度就会慢下来，还会有熄灭的危险。

足部按摩和捅炉底是一个道理。很多人在刚开始做的时候，感觉效果非常明显，就是因为它的确非常有效地疏通了经络。可时间一长，人反倒容易疲劳了，特别是在冬天，是贮存能量的季节，要是还做足部按摩，还在不断捅炉底，大量消耗自身的能源，可想而知，身体反倒会越来越虚弱。

所以说，足部按摩是一个非常好的治病保健的方法，只要正确运用，是能帮你除病健身的，但如果用得太勤、不分季节、不分体质，效果往往是适得其反。冬季尽量不做或少做足部按摩。如果非要做，半个月一次就足够了。做足部按摩的同时，补血、补肾的食疗必须跟上。身体虚弱的人最好少做，如果要做的话，不要做全足按摩，只要针对身体出现的不适之处，选择一两个反射区，对症按摩就可以了，而且按摩的时间不要太长，几分钟就行了。

健康风向标

　　秋冬季节，温度下降了，最好天天坚持保健按摩，如按摩耳朵、手臂、腹部、大腿根，这都有利于血液循环，疏通经络，还具有补气、提气的作用。

足部按摩的禁忌症

女性生活馆

　　自从上次体检查出脂肪肝之后，36岁的孙女士就比较注意养生了，最近搭乘了"足疗养生"的快车，每周末都要光临足部按摩中心。

　　这周末也不例外，孙女士来到了足部按摩中心，足疗小姐看她脸色不是很好看，就问："是不是您来月经了？""是啊，昨天来的。"孙女士有些疑惑，这跟足部按摩有什么关系吗？"来月经是不能进行足部按摩的，还是等经期过了，您再来吧。"足疗小姐很客气地说。原来还有这样的禁忌，孙女士恍然大悟。

　　常言说"千里之行，始于足下"，"鹤发童颜，步履轻健"，这些话无不说明了足部健康的重要，而《黄帝内经》中也论述了足部保健养生的理论原则。千百年前，我们的祖先就使用足部按摩的方法来达到治病和保健的目的。足部按摩是对足部表面施加压力，从而影响全身，调节身体各器官的一种方法。

足部按摩的优点虽多，但也不能包治百病，对如下病症要禁忌，不可乱用。

1. 各种严重出血性疾病。如脑溢血、子宫出血、消化道出血、支气管扩张出血、内脏出血等。

2. 急性心肌梗死，严重的心、肝、脾、肾功能衰竭。

3. 经期和妊娠期。

4. 一些外科疾病。如急性阑尾炎、腹膜炎、肠穿孔、骨折、关节脱位等。

5. 各种传染性疾病。如肝炎、结核、流脑、乙脑、伤寒及各种性病等。

6. 各种中毒的抢救期。如煤气、药物、食物中毒，毒蛇、狂犬咬伤等。

7. 各种严重精神病患者。

上述病症病情急迫、严重，不可贻误急救时机，必须立即去医院救治。足疗在此时显然不宜使用，但可在康复期间辅助治疗。

✱❋ 健康风向标 ➡

　　足部按摩师应该懂得心理学及中医保健养生的知识，并运用于整个操作过程中，以便对被操作者的健康状况提出一些建议和指导。

身体异常，脚底有反应

　　从来没有体验过足部按摩的小瑾今天被朋友拉去做足疗了，她一直觉得足疗是一种奢侈享受，而且认为足疗也没那么神奇，作用也没有那么大，所以一直对足疗没什么特别的兴趣。足疗按摩师刚摸她脚的时候，就说："你睡眠不好，最近精神状态不佳。""你怎么知道？"小瑾惊奇地问。"你身体状况如何，哪里不舒服，脚上都写着呢。"足疗按摩师呵呵一笑。"你只要坚持做足疗就能改善你的睡眠状况。""真的啊？这么神奇？""嗯，其实足疗能健身、治病……"足疗按摩师开始讲足疗的功效，小瑾越发感觉足疗十分神奇，原来身体有病，从脚上都能看出来。

　　人体的全部器官和组织状态皆表现于脚底，任何一处有异常，都会影响到脚底的对应部分（此称为反射区）。因此，我们可利用对反射区的检查以诊断病情，经刺激反射区而治疗疾病。

　　然而，即使是同样刺激反射区，某些人有最好的效果，但也有些人出现效果不佳的情况。而且，反射区的位置常因疗法或生理机能的不同，而有些微妙的差别。

　　刺激的方法，有人认为轻柔碰触较妥当，也有认为使用强力刺激较佳，更有人认为可以仅用手指刺激和用器具刺激。

　　但是，反射区在身体并不止一处，而对脚底刺激最有效果，倒是大家一致的看法。同时，脚的趾端部分为头部、脚跟附近为下腹部、中间为胸部和腹部的反射区，这种观点得到了所有研究者一致的肯定。

　　当我们刺激反射区时，身体会呈现何种反应呢？这是谁都有的疑问。碰触脚底若有疼痛的地方，则其处应有结晶性的硬块，一般认为是尿酸或乳酸（碱）等堆积于其处。

硬块是因脚底所对应的身体部分充血所致。由于充血会妨碍全身血液和气的循环，因此若能除去硬物或硬块，人体活动即能回到原状，恢复到健康状态。

所以，脚底反射区的疼痛是可消除的。若压到不适处，被按摩者起初总是皱着眉头说："痛！痛！"揉搓期间，快的人 5 分钟；慢的人，数次治疗后，即转变成"疼痛减轻"了。

在此所说的块状物或硬物去除者，当然不是以手术或手直接取出，而是将其当做废物，从肾脏经由膀胱、输尿管化成尿排泄出体外之意。

健康风向标

按压脚底的脚跟部分而感到疼痛时，应视其为身体疲劳、身体能源长期不足，应进行针对性的足部按摩。

按压脚部，痛处即为疾病处

女性生活馆

朋友小雪最近学会了诊断疾病的招数，她说："只要你触摸一下脚底，哪个地方疼，就意味着你身上的哪个器官出了毛病，但你必须先知道脚底的各个部位对应着身体的哪个器官。"我听得津津有味，希望能回家试试看。我胃口不好，回家一按压与胃对应的穴位，还真疼。呵呵，我又学会了一招——怎样诊断自己的疾病。

身体哪里不适，必定会影响脚的反射区。将手脚洗净，指甲剪短，并在脚上轻轻地抹擦些润滑油类之后开始按压脚部。

　　试着依序按压脚底的膀胱→输尿管→肾脏→肾上腺的反射区，其次再按日常自己所感觉不适之处检查。皮肤厚的部分，请用力按压或使用按摩棒等。

　　若有感到疼痛处，那是由于此处有了麻烦。反射区和穴位不同，其非为一点，而是以某些范围为对象，所以易于判断。脚底检查完后，再检查脚背和腿部。

　　例如，胃不好的人若按压胃的反射区，应会感到强烈疼痛。胃的反射区大概在脚底约中央内侧、拇指根处膨胀的后侧。因此，用手压此。随着疼痛，在手指端即可感觉到硬块或肿物。

　　内脏器官在双脚中成对称反射区，而即使是相同部位，也有右脚为肝脏，左脚为心脏的情形。类似肾脏其左右对称的反射区，有时右脚疼痛而左脚并无相同程度的痛楚时，会被误认为右边的肾脏不适。因此，我们务必先清楚双脚各部位的代表区，而后才能正确判断。

健康风向标

　　有些痛楚是功能故障出现的前兆，也有些是部位机能衰弱、疲乏等所呈现的疼痛。像这种情况，就应尽早采取对策并防患于未然。治疗后，再试着按压有问题的反射区，就比刚开始减少许多疼痛，有些可以全然无疼痛。

按摩脚心能健体

女性生活馆

宋朝大文学家苏东坡数十年如一日，早晚搓摩足心，从不间断，直到晚年仍精神抖擞，老而不衰。于是我也效仿苏东坡的养生之道，希望到晚年还能精神矍铄。现代医学研究证明，搓摩足心，可促进血液循环，刺激该处的神经末梢，促进尿酸排出，祛病延年。

按摩脚心能增强血脉运行，调理脏腑，舒通经络，增强新陈代谢，从而强身健体，祛除病邪。

人的脚掌密布许多血管，故科学家把脚掌称为人的"第二心脏"，脚心的涌泉穴是足少阴肾经的起点。按摩这个穴位，有滋阴补肾、颐养五脏六腑的作用。经常按摩脚心，能活跃肾经内气，强壮身体，防止早衰，有利于健康长寿。老年人常按摩脚心，还能防止腿脚麻木、行动无力、脚心凉冷等。

按摩脚心时，还要多动脚趾。祖国医学认为，大脚趾是肝、肺两经的通路。多活动大脚趾，可舒肝健脾，增进食欲，对肝脾肿大也有辅助疗效。第四趾属胆经，按摩可防便秘、肋骨痛。常按摩脚心、脚趾，对神经衰弱、顽固性膝踝关节麻木痉挛、肾虚、腰酸腿软、精神性阳痿、失眠、慢性支气管炎、周期性偏头痛及肾功能紊乱等都有一定的疗效或辅助治疗作用。

按摩手法要正确，否则达不到祛病健身的目的。每晚用热水洗脚后坐在床边，将腿屈膝抬起，放在另一条腿上，脚心歪向内侧，按摩左脚心时用右手，按摩右脚心时用左手，转圈按摩，直到局部发红发热为止。

　　按摩脚心前先用温水泡洗，边浸泡边用两脚互搓，或用手在水中搓足，5～15分钟后用毛巾擦干，再行搓擦，有助于提高效果。

赤足行，激活你的"第二心脏"

女性生活馆

　　众所周知，人之初，皆赤足。鞋子发明后，赤足者才逐渐减少。当今世界，身居城市的人，男女老幼全部穿鞋。然而在国外，特别是在日本，近年来正在兴起幼儿"赤足热"。在日本的东京、大阪等地，约有1/4以上的保育院、幼儿园和小学已这样做了。据观察，推行幼儿赤足走路一段时间后，80%以上的幼儿体质增强了，既少患伤风感冒等疾病，又促进身高和体重增长，还大大减少幼儿扁平足发生。孩子赤足好，成人也不例外。

　　根据生物全身理论，足底是很多内脏器官的反射区，被称为人的"第二心脏"。赤足行健身法在日本、西欧等许多国家流行。有关专家认为：人体各器官在脚部均有特定反射区，摩擦刺激这些相应的反射区，便能激发潜能，调整人体失衡状态，达到防治疾病、延年益寿的目的。比如它对神经衰弱、近视眼、遗尿、前列腺肥大、急性扭伤、高血压、胃肠病、糖尿病、偏头痛、肾炎、关节炎等疾病都有较好的疗效。

　　赤脚走路时，地面和物体对足底的刺激有类似按摩、推拿的作用，能增强神经末梢的敏感度，脚底敏感的部位受到刺激后会把信号迅速传入内脏器官和大脑皮层，调节植物神经系统和内分泌系统。因而可以有效地强健身体，帮助抗病与防病。

另外，经常使双脚裸露在新鲜空气和阳光中，还有利于足部汗液的分泌和蒸发，增进末梢血液循环，提高抵抗力和耐寒能力，预防感冒和腹泻等症。赤足走的另一种功效是释放人体内积存过多的静电。赤足行有利于身体健康，但在赤脚走路要注意以下两点：

第一，赤脚走时注意不要踩到尖锐物。

第二，结束后用热水好好来个足浴。

健康风向标

在季节变换时，人体的抵抗力会下降，尤其是在冬季，人们患呼吸系统、循环系统疾病的机会增多，经常按摩足部相应的反射区可以促进血液循环，提高机体抵抗力。据专家测算，在进行脚部按摩前，脚部血液流速一般是12毫米/秒，而按摩后会增加到24～25毫米/秒。

足部按摩防治心脏病

女性生活馆

以前张女士每年体检心电图都是窦性心律不齐，后来她在杂志上看到足部按摩可以治心脏病。于是她按照上面提供的方法长期进行足部按摩，这一坚持就是7年。她告诉我们说，自从做了足部按摩，她的心律就开始正常，她觉得足部按摩是最好的治疗方法。

心脏病包括动脉粥样硬化心脏病、风湿性心脏病、先天性心脏病、高血压心脏病、慢性肺源性心脏病、心肌炎、心脏神经官能症、心律不齐等多种心脏病变。足部按摩对防治以上各种心脏病，改善心脏功能，缓解心慌、胸闷等自觉症状，均有辅助作用。

1．按摩的反射区及穴位

(1) 反射区：基本反射区（肾、输尿管、膀胱、尿道、腹腔神经丛等5个），大脑、小脑、脑干、垂体、血压点、肺、脾、肝、胆、心、甲状腺、甲状旁腺、胃、十二指肠、小肠、胰、膈、各淋巴结（头颈淋巴结、胸部淋巴结、上下身淋巴结）、胸、胸椎、生殖腺等反射区。

(2) 穴位：涌泉、太溪、三阴交、足三里、行间、太冲等。

2．按摩的程序与方法

(1) 用食指关节刮压基本反射区各1分钟。

(2) 用食指关节按揉或推压大脑、小脑、脑干、垂体、血压点、甲状腺、肺、胃、胰、十二指肠、小肠、肝、胆等反射区各30次。

(3) 用拇指按揉心反射区3～5分钟、胸部淋巴结反射区2～3分钟。心律过缓者加按肾上腺反射区1～2分钟。

(4) 用拇指按揉脾、各淋巴结、生殖腺、胸、胸椎反射区各30次。

(5) 用拇指按揉涌泉、太溪、行间、足三里、三阴交、太冲等各50次。

(6) 重复刮压5个基本反射区各1分钟。

✽ 健康风向标

　　从鱼肉中摄取n-3脂肪酸可以减少心律失常现象的发生，从而降低心律失常造成猝死的危险。因此，心脏病患者在日常饮食中应多吃鱼，最多每周吃两次。

刷子摩擦脚底美白肌肤

女性生活馆

　　同事阿靖有令人艳美的肌肤，白里透红、细腻光滑，而我们这些人却像个黄脸婆，皮肤黯淡无光泽，青春痘还不时光临。我们都很纳闷，同在一片"蓝天"下，同样的环境，同样都要对着电脑，同样的饮食状况，凭什么她的皮肤这么好？难道她是天生丽质，或者是用的都是进口护肤品？可我们以前的皮肤也不差，而且我们用的护肤品也不差啊。于是我们对她展开了攻势，想弄明白，其中到底暗含着什么玄机。她坦率地告诉我们，她平时就用刷子摩擦脚底，这是她当中医的爷爷告诉她的秘方。原来美丽的肌肤这么容易获得，我们惊讶得不知道说什么，她说"凡事贵在坚持"。

　　日常生活中我们往往目光朝上，只注意面子上的修饰，却从不往下看，忽视了对脚的呵护。只有将完美进行到底的女人，才真正懂得爱惜自己。要想拥有洁白嫩滑的肌肤，每晚最多花上5分钟，就能使你的皮肤白皙细嫩。

　　方法其实很简单，只要刺激脚底就可以做到。在洗澡时用刷子摩擦脚底，由于人体的一切内脏都与脚底相联系，所以通过刷子的刺激可促进体内激素的分泌，从而使皮肤变得白嫩。

　　实行这种保健时并不需要专用的刷子，只要是天然纤维的就行了（不要化学纤维的），因为天然纤维比较软，不会损伤脚底皮肤。

健康风向标

　　每晚把双脚放入温水中浸泡5分钟左右，不仅能消除疲劳，还有助于软化足部的角质。脚如手一样需要日夜滋润，洗完脚后涂上乳液可以保持皮肤的弹性和柔软。按摩涂上滋润乳后，最好用手指从脚背开始将双足按摩一遍，以舒缓足部的紧张和压力。

第五篇

求医不如求己：
将女人易患的疾病消灭于无形

Chapter1

第一章 求医不如求己：
走出"得病就看医生"的误区

糖尿病——按摩穴位就能缓解

　　42岁的史女士已经患糖尿病3年了，严重时还会发生昏迷。她的身边从来没离开过药物，也经常跑医院，可是也没有办法从根本上根除。后来不知道她从哪得到的秘籍——按摩穴位，没过半年，她的病情就有所好转。

　　糖尿病是继恶性肿瘤、心血管病之后又一危害人类健康的重大疾患，它治疗时间长，并发症多，对身体危害极大。目前，全世界各个国家的糖尿病患率都在明显上升，在中国，这一问题尤为严重。如何让困扰人们的糖尿病得到及时和行之有效的治疗是人们所关注的问题。药物降糖和饮食降糖虽有一定的作用，但受到药量、种类的限制，而且多数降糖药有不同程度的毒、副作用。因此，人们很自然地倾向于非药物疗法，而自己可以操作的自我按摩疗法，则越来越被人们所认可。

　　通过自我按摩可达到调整阴阳，调和气血，疏通经络，益肾补虚，清泄三焦燥热，滋阴健脾等功效。具体手法是：

　　1. 抱腹颤动法：双手抱成球状，两个小拇指向下，两个大拇指向上，两掌根向里放在大横穴上（位于肚脐两侧一横掌处）；小拇指放在关元穴上（位于肚脐下4个手指宽处）；大拇指放在中脘穴上（位于肚脐上方一横掌处）。手掌微微往下压，然后上下快速地颤动，每分钟至少做150次。此手法应在饭后30分钟，或者睡前30分钟做，一般做3至5分钟。

　　2. 叩击左侧肋部法：轻轻地叩击肋骨和上腹部左侧这一部位，约为2分钟，右侧不做。

3. 按摩三阴交法：三阴交穴位于脚腕内踝上 3 寸处，用拇指按揉，左右侧分别约做 2 ～ 3 分钟。

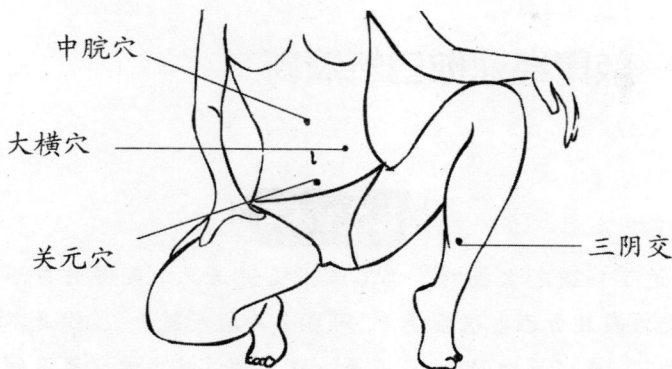

泡脚和泡腿配合按摩效果会更好，可以增加按摩的作用。以上疗法每天做 1 ～ 2 次。只要能长期坚持就能有效防治糖尿病。

健康风向标

　　糖尿病患者平时要注意控制饮食，忌暴饮暴食，忌高糖、油腻、辛辣之品，适当减少碳水化合物的进食量，增加蛋白质进食量。另外还要保持良好情绪，切忌情绪波动，反复无常。

口臭——敲胃经让你口气清新

女性生活馆

"最近不知道怎么搞的，都不敢张嘴说话，口臭得厉害，见人只能以笑代之，而且自己也很难受。"同事小美向我哭诉。"你是不是吃了大蒜什么的？"我疑惑地问道。"不是，什么都没吃，唉，真是闹心。""对了，记得以前看过一篇文章，说口臭是因为胃热引起的，可以通过敲胃经得到改善。"我高兴地说。"是吗，谢谢你，我得回去试试看。"她兴奋不已。

现代社会，谈话交流非常重要，每个人都希望自己口气清新，给对方留下良好的印象。可偏偏就有很多女性有口臭，这令她们非常尴尬。口臭指呼出的气体和口腔吐出的气体都具有令人厌恶的臭味，并被他人嗅到。口臭常给患者造成精神负担，影响社交活动。其实口臭是胃热引起的，胃热的人从外貌上有一个共同的特征：浓眉，头发较黑、粗、硬，上嘴唇往上翘，偏厚，另外，这样的人一般饭量都很大，小便颜色较黄。那么如何驱除口臭呢？最好的办法就是敲胃经，因为敲胃经可以驱胃火，一直敲到小便的颜色恢复为淡黄清澈为止。

若口臭伴有口干、牙床肿痛、腹胀、大便干结症的，应充分按揉足二趾趾面，并按揉足部内庭、冲阳、公孙穴各 1 分钟；再从小腿向足趾方向推足背及其两侧各 30 次。

健康风向标

专家提醒您，如果患了口臭除了敲胃经之外，平时还要注意口腔卫生，定期洗牙，以预防口臭。

冠心病——按压内关最关键

女性生活馆

> 68岁的刘奶奶患冠心病、高血压已经6年了，平时表现的症状有胸前闷痛、心律不齐、早搏、头晕等。她曾经因为患冠心病、高血压等病每年住院治疗1～2次，待病情减轻后在家休养，而且每天还要服用各种中西药物，但病仍时有复发。自从在报刊上了解到按摩内关穴可以缓解病情，刘奶奶就按照要求试作，经过半年多的实践，各种病情都有所缓解，从而增强了她经络锻炼的信心。经过两年的努力，心绞痛、早搏等从未犯过，现在刘奶奶一下子可以上5楼，并且不气喘不心慌，血压也降下来了。

冠心病是脂肪物质的沉积，使冠状动脉管腔变窄或梗死，影响冠状动脉的血液循环，使心肌缺血、缺氧而造成的高血压、高血脂、内分泌疾病。而生气、劳累、紧张、失眠、过饥过饱、气候变化等均可诱发本病，此外，本病也与遗传有关。按摩内关穴对症状的缓解和消除也有一定的作用。

按压内关穴的方法是，以一手拇指指腹紧按另一前臂内侧的内关穴位，先向下按，再做按揉，两手交替进行。对心动过速者，手法由轻渐重，同时可配合震颤及轻揉；

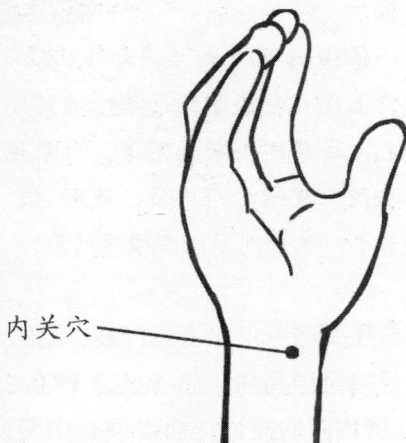

内关穴

对心动过缓者，用强刺激手法。平时则可按住穴位，左右旋转各 10 次，然后紧压 1 分钟。

压内关对减轻胸闷、心前区不适和调整心律有帮助，抹胸和拍心对于消除胸闷、胸痛有一定效果。

另外，做两腿下蹲运动，每次 5 ~ 10 分钟，就可以调动全身经脉；增加腹式呼吸的次数，可降低交感神经兴奋性，减少收缩血管物质的产生，对改善冠状动脉的血液供应和促进侧支循环会起到非常重要的作用。

健康风向标

当突发心律不齐时，拇指、食指可同时从手掌的正、反两面按住劳宫穴，用力向下压，左右手交替进行，各 60 ~ 80 次，心律会很快恢复正常。

高血压——敲肝经和肾经最有效

女性生活馆

一位 48 岁的农妇患高血压已经 3 年，总是感觉头昏、心累。医生看遍了，医院也跑遍了，每年吃的药可以堆起一座小山，可结果却令她伤心不已，血压还是居高不下。后来她了解经络按摩疗法，每天坚持按揉合谷和足三里这两个穴位。逐渐地，血压开始可以控制了，半年后，血压下来了，她告别了瓶瓶罐罐的药。

高血压是当今世界上流行最广泛的疾病，被人们称之为"无声杀手"。据调查，目前全国高血压患者已逾 1 亿，并有继续增加的趋势。2006 年从北京市 5000 例住院的高血压患者调查中发现：女性高血压占 45.7%。由此可见，女性高血压患者与男性相比同样具有高风险，因此，女性要高度重视高血压的防治。

高血压多发生于脑力劳动者中，因为脑力劳动者长期精神紧张，又缺乏体育锻炼。高血压所带来的并发疾病是不容忽视的，如脑出血、脑梗死、心脏病等。既然高血压这么可怕，作为现代女性如何采取措施进行防治呢？

有一种方法可以你既远离大把大把的苦药，又摆脱经常跑医院的困扰，那就是敲经络。中医经络学说认为，高血压发病的原因是经络失控引起肝阳上亢和肾气阴虚。既然这样，只要通过敲肝经和肾经，就能使血气畅通，使失控的经络恢复其调控作用，使高亢的肝经阳气下降，心情平和，同时肾阴逐渐充实，阴升阳降，实现阴阳平衡，血压自然会下降。所以只要您每天敲肝经和肾经，同时操作方法得当，辅以良好的心情与合理的膳食，不用多久就可以实现治疗高血压的梦想，重新获得健康的体魄。

除了敲小腿内侧的肝经和肾经外，还可捏颈后肌肉，手向后伸就能捏到——几乎所有的经络都可以直接或间接地与颈项发生关系，有数十个重要的俞穴分布在颈项部，形成了一个相对独立的人体全息胚——所以捏这里也可达到降低血压的目的。

健康风向标

防治高血压平时要注意：均衡膳食、适当运动、心胸开阔、戒烟限酒、生活规律、平衡降压。

低血压——按揉涌泉穴将血压升高

女性生活馆

　　刚吃饱就想睡、刚睡醒就觉得累、心慌慌手脚冰冷……自我诊断既没发烧又不是低血糖，小程连日都出现这些症状，她火急火燎去看医生。"低血压吧？""不会呀，我身体挺好。"有经验的医生二话不说掏出了血压计。80/50毫米汞柱，果然低血压。"坐办公室不出去吧？""是呀。"小程正惊讶，医生安慰她："像你这样得低血压的女孩很多，不用吃药，只要适当做些按摩就好了。"

　　所谓低血压，是指动脉血压的收缩压（俗称高压）低于12千帕（90毫米汞柱），舒张压（俗称低压）低于8千帕（60毫米汞柱）。

　　成人正常血压低于90/60毫米汞柱，老年人低于100/70毫米汞柱，都称为低血压。低血压可分为急性和慢性两种。平时我们讨论的低血压多为慢性低血压，即血压长期偏低，并伴有头晕、头昏、乏力、易疲劳等症状。据统计，低血压发病率为4%左右，老年人群中可达10%。

涌泉穴

　　足底按摩对于治疗低血压有较好的疗效，手法以轻柔为主，基本手法如下。

　　1.用拇指轻揉患者两足，对在按摩中疼痛明显的区域继续按揉5分钟，坚

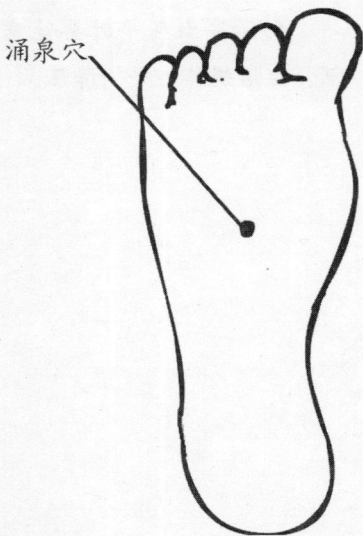

持每日按摩。

2. 每日揉压足掌 3 ～ 4 次，每次 15 分钟左右。尤其是对涌泉穴（屈趾足心凹陷处），须用大拇指朝患者脚后跟的方向揉压 10 ～ 15 分钟。

3. 用拇、食指揉搓患者两大脚趾、第三趾各 5 分钟，再上下摩擦脚掌 5 分钟，然后揉压足心 5 分钟，每日两次。

4. 操作者利用自己的足跟、足底前部跖趾处对患者足跟施以节律性的压踩 10 ～ 20 分钟，每日一次。

患者在接受以上治疗的同时，还可以用空可乐瓶或拳头轻轻敲打足底 15 ～ 20 分钟，每日一次；用发卡或牙签刺激足跟 15 ～ 20 分钟，每日两次；旋转足踝 15 ～ 20 分钟，每日两次。

❋ 健康风向标 ➜

有生理性低血压状态的年轻女性，如果没有明显症状，一般无须吃药。平时多吃高营养、易消化和富含维生素的食品。适当饮茶，例如用肉桂、甘草和人参泡开水当茶饮；起居中应注意变换体位时动作缓慢些；因其他疾病求医时，应主动告诉医生自己有低血压，以避免使用明显降低血压的药物。

便秘——刺激章门穴，疾病就远走

女性生活馆

　　王女士被便秘折磨18年了，脸上长满了痘痘，厚厚的脂肪也紧裹着她的身体，医院没少去，药也没少吃，可还是解决不了什么问题。在一次聊天中，朋友告诉她，按摩章门穴可能会对便秘有一定的疗效。王女士按照朋友的说法做了，一个月后，皮肤有了光泽，腹部开始缩小，连斑都消失了。现在她每天早晨大便一次，便秘已经有7个月没复发。

　　便秘是指大便秘结不通，排便间隔时间延长，或有便意而排出困难的一种病症。现今，越来越多的都市女性背上了便秘的包袱。令人感到奇怪的是，便秘存在于女性的各个年龄段。许多人虽然采取了多种积极的措施，如多吃水果、喝保健茶、吃保健品等，但大都没有见到明显效果，其实，通过刺激身体中的重要穴位就可以缓解或治愈便秘。

　　指压法治疗便秘的重要穴位都在腹部，有中脘、章门和大横。寻找章门穴可侧卧，在十一乳肋前端稍下方处便可以找到它。大横穴也比较好找，它位于脐中旁开4寸处。对这几个穴位进行按压，每穴3～5分钟，就

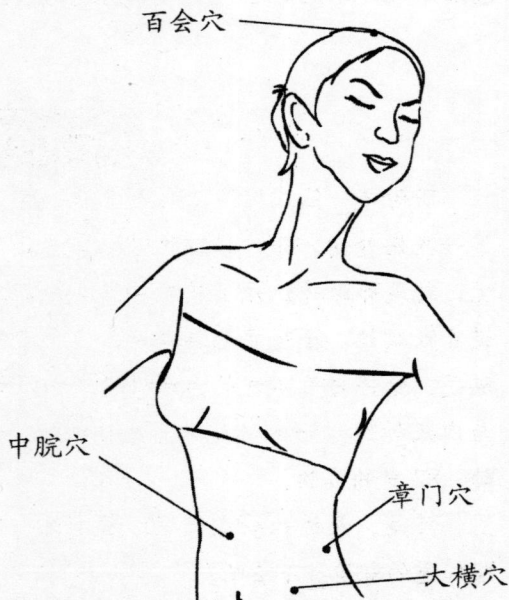

百会穴

中脘穴

章门穴

大横穴

可以收到很好的疗效。

掌握了这几个穴位后，就可以变按压为揉摩。揉摩时要按顺时针方向进行，当掌下触及腹腔内硬物时，动作要缓慢柔和，待腹部变软后，动作可略快。自始至终手法都要轻缓，一点一点地慢慢加力，目的就是增强肠蠕动，使肠壁内津液润通，促使粪便排出。

在便秘状况有所改善后，敲打头顶的百会穴 2 ~ 5 分钟，或者按压拇指与食指之间的合谷穴，可以较好地巩固治疗效果。

健康风向标

经常做仰卧起坐和屈腿运动可以有效缓解便秘。

仰卧起坐：仰卧位，收腹做起，两手摸足尖，反复 10 次。

屈腿运动：仰卧位，两腿同时屈膝抬起，使大腿贴于腹部，然后还原，反复 10 遍。

失眠——敲肝经治失眠是最好的途径

女性生活馆

盼盼是一位顽固性失眠患者。在 28 岁的那年她与本单位的彬彬发生了一段婚外情，那时，她觉得彬彬看自己的眼神让她找回了初恋时的感觉，就是那眼神让她整整陶醉了两年之久。直到有一天，对方不仅编造谎言欺骗她，还明显地疏远她，她才感觉到自己不过是被彬彬愚弄、欺骗了，觉得自己不过是彬彬一件穿旧了的衣服而已。于是，羞愧、愤怒与内疚的她开始出现失眠。失眠的后果是什么呢？盼盼说："28 岁的年龄，82 岁的容颜。"

可是，最近她彻底好了，想不想知道她的快速治疗失眠的秘诀呢？想知道的就请往下看吧！

失眠正在成为全世界一个普遍问题。据联合国卫生组织公布的统计数字，目前全世界约有 30% 的人口存在不同程度的失眠。越来越严重的失眠，被睡眠研究专家称之为"悄然扩展的流行病"。

失眠是一件很痛苦的事情，对于爱美的女士更是如此，它不仅会使女人的面色暗淡无光，形成熊猫眼、阴天脸，还会影响心情，甚至导致抑郁症。所以不管是忙于家中的"家庭主管"，还是为事业奔走的"真正白领"，我们都要高度重视，一定要把这个损害我们美丽与健康的魔咒消灭于无形。

治疗失眠，相信很多人一下子会说出很多办法：药疗、食疗、动疗、心疗……这些方法的效果先不谈，单讲它的副作用和麻烦程度就会令你敬而远之了。在这里，我们为你呈上一种既有效，又简单方便的治疗失眠的好办法——敲肝经，只要你能持之以恒，将会收获莫大的喜悦和最坚实的健康。

如果一个人经常在夜里两点左右醒来，是肝经有热，敲肝经就能解决问题：平坐床上，让自己的大腿内侧面朝上，中间那条线就是肝经，用拳头敲就可以了。

之所以这样做是因为，凌晨 1～3 点时，血液流经肝脏，肝气会比较旺。脾气暴躁、爱吃煎炸油腻食物的人，肝经本来就有热底，这时就会产生一系列肝热的表现，比如烦躁多梦，容易醒，一醒久久不能入睡等。这时候去敲肝经，一定会很痛，反复敲到肝经不痛了，肝热一清，不烦躁了，那个时候再睡，梦也少了，就不会醒了。

❀ 健康风向标 ➡

劳累之后，最期待可以彻底睡个安稳的大觉了。但事实上，失眠之后，就算睡得再多，也没有益处。一个人的睡眠时间是由生物钟决定的，如果不在需要的睡眠时间内，其他时间再怎样补眠也是无用。专家的意见是，如果前一晚睡得不好，第二天不需要日间长时间补眠，反而应该继续正常活动，这样晚间自然会沉睡，睡眠质量更好，也可得到充分休息。

头痛——按揉天柱穴解除痛苦

　　自从工作后，潇潇的睡眠就变得不是太好，而且还患有严重的头痛，她认为是工作压力大的缘故。于是她试着天天注意休息，可是头痛的症状丝毫没有好转，吃了药，看了医生，可还挡不住头痛。后来男朋友告诉潇潇：对于那些原因不明的头痛，而又经医药治疗不见效果的，可以试试按压疗法。潇潇按照他教的方法做了，果真没过多久她的偏头痛就有了好转。

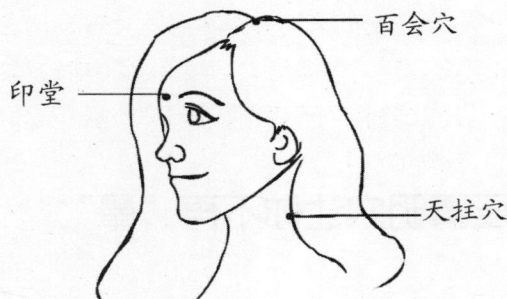

百会穴
印堂
天柱穴

　　头痛是一种常见的病症，患者多为女性，常有家族史，通常青春期前后起病，历时多年，甚至可达数十年。在头痛发作前，多有各种先兆，如神经系统功能紊乱和情绪改变等。其主要临床特征是间歇性反复发作的单侧或双侧头痛，每次发作的症状及过程相似，常伴有恶心、呕吐和厌食等症状。在间歇期，症状可完全消失。

　　头痛的发病机制较为复杂，目前仍不十分清楚。中医认为"不通则痛"是偏头痛的发病机制。其病机为风邪入脑、淤血阻络、肝经风火、痰浊蒙窍、精血不足等，导致脑的气血不能正常运行……

治疗头痛最有效的穴位有三个：天柱穴、百会穴和印堂穴。

天柱穴在后发际凹陷处，按揉此处30～50次左右，对前头痛有很好的效果。对于后头痛除了按揉天柱穴外，还可按压后发际中间的哑门穴，这样效果更佳。

百会穴位于头顶正中线与两耳尖连线的交点处，用手指推压、点压、按压此处，对各种头痛都有效果。

印堂穴位于两眉头连线的中点上，点、按、压此处，对前头痛有治疗效果。

另外，用指压法按摩头维穴，可治偏头痛。头维穴在额角发际直上0.5寸处。按压这个穴位，能感到明显的脉搏跳动，手指压揉此穴10～20次左右，即可缓解偏头痛症状。

✳ *健康风向标*

如果有头晕的现象，可自行按摩合谷、足三里各两分钟，做腹式呼吸5分钟，有能力的可进行两条腿下蹲运动，这对缓解头晕有很大的益处。

眩晕——按压睛明穴让你不再"晕"

女性生活馆

一次，在从北京开往广西的火车上，一位中年妇女突然晕倒在地上，列车员赶紧通过广播向乘客求助。有一个年轻女孩听到广播后，来到了这位生病的中年妇女身边，女孩蹲下来给她按摩头部。只过了几分钟，那位中年妇女竟然清醒过来了，女孩又继续按压了近一分钟，这时中年妇女的脸色也红润了。

到目前为止，还没有人能说清楚眩晕症的真正成因，但却有无数人深受其害。它发作起来或头晕目眩，或天旋地转，轻者闭一会儿眼睛就好了，重者如坐舟车，站立不稳。

对眩晕症治疗有效的穴位主要在头部，包括睛明、印堂、太阳、听宫、翳风、风池、百会等。

找到这几个穴位后，就可以按以上顺序加以按揉。需要注意的是，在按揉睛明穴时，最好连带着按揉一会儿眼睑；按揉太阳穴时，最好连带着推抹一下前额，这样效果会更好一些。

以上方法要反复进行，每次应坚持 10 分钟左右。

经过按揉之后，如果眩晕症状有所改善，就可以进行一些辅助治疗。对于眩晕症有辅助疗效的穴位有合谷、内关、外关、足三里、三阴交等。对它们进行按压时，没有什么顺序要求，时间长短不限，只要手法轻柔就行。

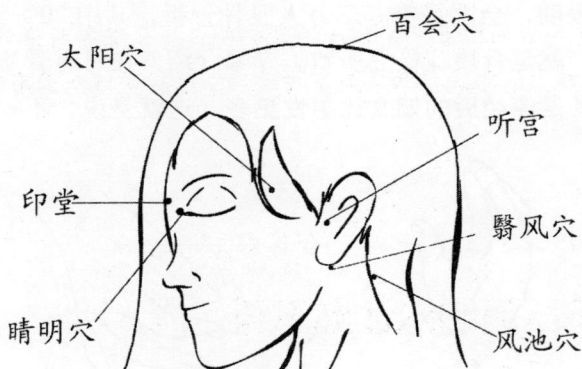

健康风向标

眩晕者应保持安静，心情愉快，保证充足的睡眠和休息，避免用脑过度，精神紧张等。饮食宜清淡，适当参加体育锻炼。

骨质疏松症——按压内关、内渊和合谷

女性生活馆

最新公布的一份调查结果显示，办公室人群中，女性比男性更容易患骨质疏松症。专家指出，骨质疏松绝不仅仅是与老年人有关的病，女白领更需关注骨质疏松症。中国健康促进基金会骨质疏松基金筹委会为此呼吁："女白领要提高风险意识，更须关注骨质疏松症。"

统计资料表明，全国每年有三万人股骨骨折，其中 20% 的病患会死亡，其主要的原因，就是骨质疏松症所致。专家介绍，在患有骨质疏松症的人群中，女性，尤其是停经后的妇女比男性更多。这就是说，不要等到老了之后

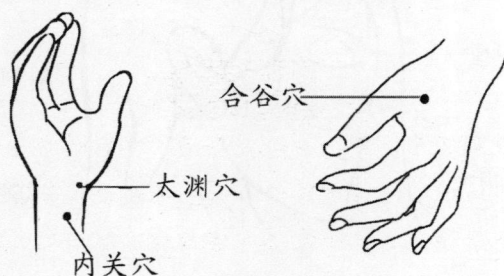

才去预防骨质疏松，35 岁左右的年轻女性就需要注意预防骨质疏松。

中医认为，骨质疏松是肝肾不足的表现之一，所以按摩从补益肝肾着手，是防治女性骨质疏松症常用方法之一。

按摩选穴：

经穴：内关、太渊、合谷等。

反射区：肾、生殖腺、输尿管、膀胱、肺、甲状旁腺、垂体、甲状腺、

肝、脾、胃、十二指肠、小肠、大肠各区、脊椎各区等。

反应点：心点、肺点、肾点、肝点、脾点、大肠点、小肠点、命门点、腰脊点等。

全息穴：心肺穴、肝胆穴、脾胃穴、肾穴等。

建议您按揉上述穴位各50～100次。要坚持手部按摩每天一次，不要间断。注意饮食起居，适当锻炼，避免骨折发生。多喝牛奶，可改善症状，缓解病情。

健康风向标

跳绳运动可以促进全身血液循环，而且地面对脚跟形成的冲击力可激发骨质的形成。每天跳50下，坚持数月，能有效缓解骨质疏松的症状。

感冒——这样按摩将感冒赶跑

女性生活馆

昨天上午就感冒了，中午去浴室洗澡，之后睡了一觉，症状基本没有了，下午我又减少了一件衣服。今天上午我发现又感冒了，真是很无奈啊。流鼻涕是最头疼的，我每逢感冒都会这样，搞的人没有办法认真做事，要不停地处理鼻涕……突发奇想，为何不在网上找如何用按摩手法来治疗感冒呢？说动就动。搜索下来，按摩了"迎香穴"、"风池穴"之后，效果还不错，至少不流鼻涕了。看来中医的穴位之说，还真是很神奇啊。

谁都得过感冒，轻者鼻子不通气，流鼻涕，头痛；重者怕冷，发烧，全身没劲。由于发病率高，有可能并发其他疾病，必须引起足够的重视。推拿按摩不仅能预防感冒，还有治疗感冒的功效。

　　用左手中指在右手掌心，即"劳宫穴"用劲摩擦，直到自己觉得发烫，然

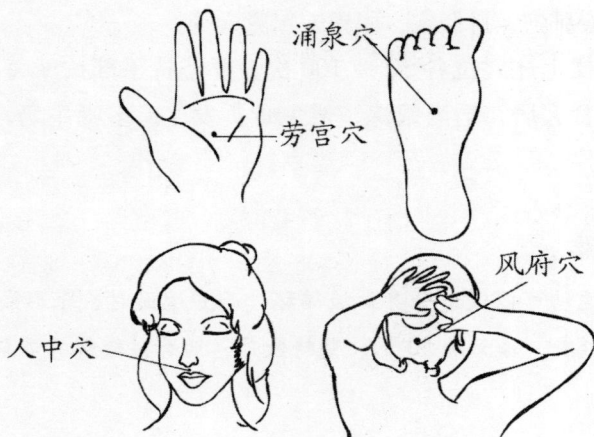

后把中指按在左边鼻翼的下方，即"下迎香穴"，反复3～4次。然后再用右手中指在左手"劳宫穴"摩擦发烫后，按在右边鼻翼的下方，同样次数。

　　如患重感冒，用上述方法疗效欠佳，可按摩脚心即"涌泉穴"，两三天即可治愈。这是因为人的脚部经脉密集，两脚的穴位占全身穴位数的1/10。现代医学认为，脚心远离心脏，血液供应少，表面脂肪薄，保温力差，且与上呼吸道，尤其是鼻腔黏膜有着密切的神经联系。所以脚心受了寒暖，就会因反射而引起上呼吸道局部温度降升和抵抗力减弱或增强，对感冒有直接作用。

　　按摩脚心时可取坐式，左（右）脚置放在右（左）膝上，一手紧贴脚心，推力由轻渐重，持续按摩2～3分钟，两脚交替，重复2～3次。这不仅能治感冒，还能预防感冒，甚至可以增强记忆力，使头脑清晰。

　　预防感冒，可按摩"人中穴"和"风府穴"。具体方法是，用大拇指和食指在这两个穴位各捏几下即可。按摩可以在以下两个时刻进行：一是每次脱衣前或起床穿衣前；二是从室内到室外前。"人中穴"又称"水沟穴"，位于鼻唇沟上中三分之一交界处，是常用的急救穴；"风府穴"在枕骨末上隆凹陷处，为风寒入侵的门户，又为治疗感冒或伤寒的要穴，两穴均属督脉，督脉主一身

之阳。祖国医学的"阳气"就是指人体的正气，包括现代医学的免疫力、抵抗力等。使用本法，可以扶助正气，抵御风寒，起到"正气存内，邪不可干"的作用。摩擦这两个穴位，在局部可产生生物电，加速血液循环，增强人体抵抗力。另外，洗脸前按摩迎香穴10下左右也可预防感冒。迎香穴位于鼻旁开1.6厘米的地方。

健康风向标

　　每天早晨洗脸时，捧冷水于鼻孔处，轻轻吸入，旋即喷出，反复3～4次，坚持半个月，对特别容易感冒的患者有很好的预防作用。

Chapter2

第二章
经络疗法将妇科病消灭于无形

更年期综合征——按压三阴交穴最可靠

余女士皮肤白皙，气色很好。但她却告诉医生，自己已经是"习惯性跳楼"，家里一定要有人跟她讲话，否则她就会偷偷地哭，要不就是见到人就有吵架的冲动，看谁都不顺眼，而且还茶不思饭不想；经常失眠、头痛……

更年期是女性卵巢功能从旺盛状态逐渐衰退到完全消失的一个过渡时期，包括绝经和绝经前后的一段时间。在更年期，妇女可出现一系列的生理和心理方面的变化。

部分妇女在更年期会出现一些与性激素减少有关的特殊症状，如早期的潮热、出汗、情绪不稳定、易激动等。晚期因泌尿生殖道萎缩而发生的外阴瘙痒、阴道干痛、尿频急、尿失禁、反复膀胱炎等，以及一些属于心理或精神方面的非特殊症状，如倦怠、头晕、头痛、抑郁、失眠等，称为更年期综合征。余女士是典型的更年期反应。

三阴交

其实多数妇女能够平稳地度过更年期，但也有少数妇女由于更年期生理与心理变化较大，被一系列症状所困扰，而影响了身心的健康。因此每个到了更年期的妇女都要注意加强自我保健，保证顺利地渡过

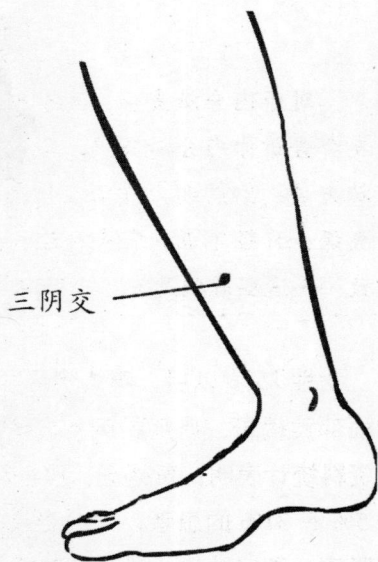

人生的这一时期。自我保健的最佳方法就是按压三阴交穴位。

三阴交穴位位于内踝上 3 寸处，胫骨后缘。女性朋友对于这个穴位应该予以高度重视，经常对它进行刺激，可以治疗月经不调、痛经等妇科常见病证。

❋ 健康风向标 ➤

> 对于更年期有头昏、失眠、情绪不稳定等症状的女性，要选择富含 B 族维生素的食物，如粗粮（小米、麦片）、豆类和瘦肉、牛奶。牛奶中含有的色氨酸，有镇静安眠功效；绿叶菜、水果含有丰富的 B 族维生素。这些食品对维持神经系统的功能、促进消化有一定的作用。此外，要少吃盐（以普通盐量减半为宜），避免吃刺激性食品，如酒、咖啡、浓茶、胡椒等。

内分泌失调——从三焦经寻找出路

女性生活馆

> 对于内分泌失调，大家也许并不陌生：你脸上长斑了、出痘了，朋友会告诉你内分泌失调；你最近情绪不好，脾气暴躁，老公会说你内分泌失调；你最近工作不在状态、心不在焉、丢三落四，同事说你内分泌失调；月经不调、乳房肿块、妇科肿瘤，医生会告诉你是内分泌失调所致……这些症状是否已经引起了你的重视？

女性 25 岁以后，身体状况开始出现下滑，很多以前不曾遇到的问题，比如面部黄褐斑、痤疮粉刺、乳房肿块、子宫肌瘤等问题相继出现。据有关医学资料统计表明：黄褐斑、痤疮粉刺，中青年女性的患病率为 28.2%，其中有 27.5% ～ 31% 的患者，同时患有多种内分泌失调导致的疾病如月经不调、子宫肌瘤、乳房肿块、卵巢囊肿或其他妇科病。在 30 岁以上的女性人群中，乳房肿块的患病率高达 38.8% ～ 49.3%，乳房肿块有可能转化为乳腺癌。而子宫肌瘤的患病率也高达 20%，女性有可能因此切除部分或整个子宫而不孕，甚至发生癌变……

内分泌失调导致的疾病和症状不仅如此，还可能导致肌肤干燥、皮肤暗淡无光、皮肤过敏、皱纹早现，月经紊乱、带下异常、乳房松弛、局部肥胖、失眠多梦、情绪波动、烦躁忧虑、燥热不安、疑神疑鬼、疲乏无力或对性生活淡漠甚则厌恶、无性高潮、夫妻关系紧张，等等。可见内分泌失调不仅仅影响容貌，还时刻威胁着女性健康。在最近的医学调查中显示，内分泌失调导致的上述疾病，正在向低龄化发展，少女也已成为内分泌失调的威胁对象。

如果你正在为内分泌失调而倍感焦虑不安的时候，不妨揉揉自己的三焦经，治疗的效果通常会让你喜出望外。

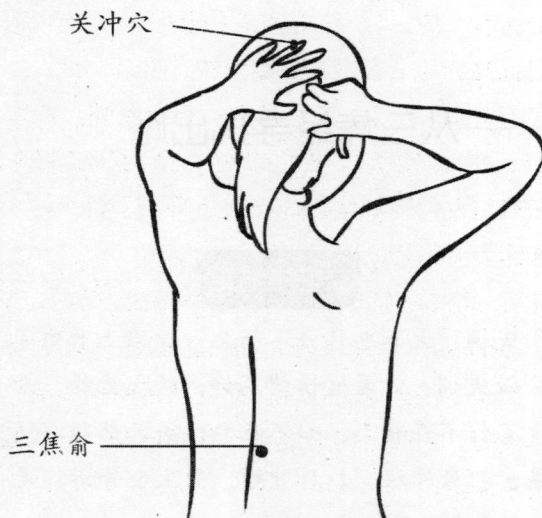

关冲穴

三焦俞

三焦，用通俗的话来说，就是人整个体腔的通道。古人把心、肺归于上焦，脾、胃、肝、胆、小肠归于中焦，肾、大肠、膀胱归于下焦。《难经·三十八难》云："三焦者，主持诸气，有名而无形。"《灵枢》上说三焦经"主气所生病者"，这种"气"类似于现代医学所讲的内分泌的功能。

去医院看病，很多症状查不出病因，往往会被诊断为"内分泌失调"。但很多时候，医生也很难确定是哪个内分泌系统出现了问题，这时大夫常常会给你开一些谷维素或维生素 B$_{12}$ 这些比较安全平和的药物，但这些药物的治疗作用实在有限。当你焦虑不安、不知所措的时候，不妨揉揉自己的三焦经，求医不如求己，效果通常会让你喜出望外。

三焦经从手走头，起于无名指指甲角的关冲穴，止于眉毛外端的丝竹空，左右各 23 个穴位。三焦经属火，焦字本身就是"火烧"的意思。看来此经"火气"不小。三焦经与胆经是同名经，二者都是少阳经，上下相通，所以肝胆郁结的"火气"也常常会由三焦经而出，于是三焦经便成了身体的"出气筒"。三焦经直通头面，所以此经的症状多表现在头部和面部，如头痛、耳鸣、耳聋、咽肿、喉痛、眼睛红赤、面部肿痛。三焦经的症状多与情志有关，且多发于脾气暴躁之人，打通此经，可以疏泄"火气"，因此可以说三焦经是"暴脾气"人群的保护神。及早打通此经，还可预防"更年期综合征"的困扰。此经穴位多在腕、臂、肘、肩，"经脉所过，主治所及"，所以对风湿性关节炎也有特效。下面我们就挑选几个自己容易操作的穴位试一试。

液门（荥水穴）：津液之门，在无名指、小指缝间。此穴最善治津液亏少之症，如口干舌燥、眼涩无泪。"荥主身热"，液门还能解头面烘热、头痛目赤、齿龈肿痛、暴怒引发的耳聋诸症，此穴还善治手臂红肿、烦躁不眠、眼皮沉重难睁、大腿酸痛疲劳诸症。

中渚（俞木穴）：此穴在手背侧，四、五掌骨间。俞主"体重节痛"。木气通于肝，肝主筋，所以此穴最能舒筋止痛，腰膝痛、肩膀痛、臂肘痛、手腕痛、坐骨神经痛，都是中渚穴的适应症。此穴还可治偏头痛、牙痛、耳痛、胃脘痛、急性扁桃体炎等。此外，四肢麻木、腿脚抽筋、脸抽眼跳等肝风内动之症，都可掐按中渚来调治。

外关（络穴）：此穴非常好找，在腕背横纹上 2 寸。外关即与外界相通的门户。胸中郁结之气可由此排出，外感风寒或风热可由此消散。此穴络心包经，因此外关可以引心包经血液以通经活络，可治落枕、肩周炎、感冒、中耳炎、疟腮、结膜炎等。此穴还能舒肝利胆，散郁解忧，可治月经不调、心烦头痛、厌食口苦、胸胁胀满、五心烦热、失眠急躁之症。若脚踝扭伤，用力点按外关穴，可即时缓解症状。平日多揉外关穴，还可以防治太阳穴附近长黄褐斑和鱼尾纹，以及青少年的假性近视。外关穴功效众多，且又是防止衰老的要穴，不可小视。

支沟穴，此穴在外关上 1 寸，所以与外关穴的功用较为类似。也可舒肝解郁、化解风寒，但同时还善治急性头痛、急性腰扭伤、胆囊炎、胆石症、小儿抽动症。古书皆言其善治便秘，但其最为特效是治疗"肋间神经痛"，俗称"岔气"。当岔气时，用拇指重力点按支沟穴，即时见效。

三焦经暂时说到这里，其实这条经络的功效，远不止这些，朋友们自己去慢慢探寻和体验吧。经络穴位，就是我们与身体交流的通道，想要真正认识自己，不必去远方寻求开悟，因为答案就在我们自己身上。

健康风向标

现代女性饮食应选择多色彩食物，肉类、蔬果、蛋类、乳类应合理搭配，更年期女性可多摄入些豆类食物。

子宫脱垂——足三里、百会和关元让你轻松摆脱

女性生活馆

朋友小林子生小宝宝了，我跟另外几个朋友相约去恭贺一下，到了她家，她和孩子都躺在床上，只有她老公招呼我们，忙里忙外。我们开玩笑地说："都三四个月了也该下床干点儿活了，看把你老公累的。""我也不想啊，最近一阵子感觉神疲乏力，稍微活动一下就感觉特别累，阴部还有下坠的感觉，一活动或劳累后更明显。"她露出无奈的表情，我们也劝她要注意休息，感叹一声"做女人真难"。后来，我问当医生的奶奶，她说："这种症状属于子宫脱垂，可以按揉一下足三里、百会等穴位……"我把窍门第一时间告诉了她，没过多久，她就很惊喜地告诉我，她现在好多了。

　　子宫脱垂是妇科的一种常见病，指的是子宫从正常位置沿阴道下降，宫颈外口达坐骨棘水平以下，甚至子宫全部脱出于阴道口以外。子宫脱垂常合伴有阴道前壁和后壁膨出，病人感觉会阴处有下坠感，阴道有肿物脱出。祖国医学称之为"阴挺"、"阴颓"、"阴菌"、"阴脱"等，因其多发生在产后，故又有"产肠不收"、"子肠不收"之称。产生子宫脱垂的主要原因包括：

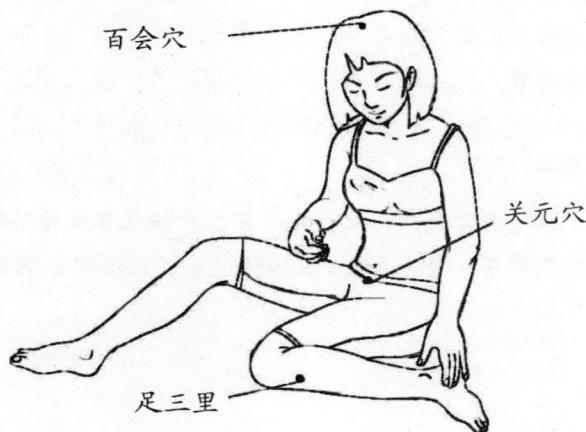

百会穴

关元穴

足三里

　　1. 分娩时子宫盆底肌、筋膜、韧带受到严重的损伤和伸展。在产褥期未得到恢复、过早参加体力劳动致使子宫承受不住腹腔的压力而脱出。

　　2. 产妇在产后经常仰卧、盆底肌等组织由于松弛造成子宫后位，子宫轴线与骨盆（阴道）线相一致，成水平线。当腹压增加时，子宫就沿阴道下垂。

　　3. 产妇长期哺乳（应该断乳时不断）使卵巢功能恢复不足、雌激素低，因而体质虚弱，造成子宫支持力不够，加之腹压增加的因素出现，如体力劳动，体虚咳嗽等。

　　大部分医院往往对子宫脱垂束手无策，其实只要每天坚持按揉足三里3分钟，艾灸百会、关元15分钟，3个月以后，就可以消除此病带来的痛苦和不便。

　　患者在自疗过程中还要注意以下事项：

　　（1）注意卧床休息，睡时宜垫高臀部或脚部，以两块砖的高度为宜。

　　（2）产后不要过早下床活动，特别不能过早地参加重体力劳动。

(3) 避免长期站立或下蹲、屏气等增加腹压的动作。

(4) 保持大小便的通畅。

(5) 及时治疗慢性气管炎、腹泻等增加腹压的疾病。

(6) 哺乳期不应超过两年，以免子宫及其支持组织萎缩。

(7) 适当进行身体锻炼，提高身体素质。

(8) 增加营养，多食有补气、补肾作用的食品，如鸡、山药、扁豆、莲子、芡实、泥鳅、韭菜、大枣等。

(9) 节制房事。

健康风向标

为了预防子宫脱垂，在产褥早期，产妇应当做简单的康复体操，加强产后锻炼，并逐日增加运动量，以促进盆底组织早日康复。

功能失调性子宫出血——按压穴位是重中之重

女性生活馆

一位妈妈带着一个十五六岁的小姑娘去找中医，苦诉小姑娘的近况："这个孩子13岁就来月经了，近几个月来月经量特别多。不管是上课起立回答问题，还是下课出去玩，都有一股一股的血液流淌的感觉，脸色也苍白了，浑身无力，所以向您来求救，看这孩子是怎么回事啊？"医生听后，断定是功能失调性子宫出血，并教她按摩几个穴位，这样坚持几个星期就会有好转。女孩按摩了不到一个月，来月经的时候竟有了很大的好转，不禁感叹："中医按摩真是神啊！"

功能失调性子宫出血，是指内外生殖器无明显器质性病变，由于神经内分泌系统调节紊乱而致月经周期紊乱、经量过多、经期延长，甚至不规则阴道流血，属中医学"崩漏"范畴。主要表现为月经周期紊乱，经期延长，出血量多。经血量多，骤下如冲者为崩；经血淋漓不尽，持续出血者为漏。

中医学认为其病因为虚、热、淤。其病机为冲任损伤，不能约制经血，按压疗法可根据不同病症表现选取组穴。

(1) 血热内扰：经血量多，色深红或紫红，质稠，伴烦躁易怒，面赤头晕，口干喜饮，尿黄便结，舌红苔黄等症状。

按压穴位疗法：取任脉、足厥阴肝经穴进行治疗，按压手法要求用力略大，时间要稍短，每穴按压时间约持续 5 ～ 30 秒。浅表处穴位可采用间歇按压法，即一压一放，各 2 ～ 3 秒钟，穴下要有较强的刺激感，可顺时针点压揉动。

选取穴位：关元、太冲、然谷、血海、水泉。血热甚者，发热恶寒，加按摩大椎、曲池以泻热。

(2) 淤滞胞宫：经血漏下淋漓，或骤然血崩，量少色暗有淤块，伴有小腹刺痛、痛有定处，舌紫暗，脉涩等症状。

按压穴位疗法：取任脉、足阳明胃经经穴进行治疗，按压手法要求用力略大，时间要稍短，每穴按压时间约持续 5 ～ 30 秒，浅表处穴位可采用间歇按压法。即一压一放，各 2 ～ 3 秒钟，穴下要有较强的刺激感，可顺时针点压揉动。

选取穴位：关元、气冲、太冲、地机、交信。腹痛拒按者，加合谷、中极、四满。

(3) 气不通血：经血量多，骤然下血，或淋漓不断，色淡，质稀红。伴神疲气短、面色光白无华，舌淡白，脉沉弱等症状。

按压穴位疗法：取任脉、足太阴脾经穴进行治疗。按压手法要求力度逐渐加大，动作平稳和缓，抵患处或穴位深处，每穴按压时间要稍长，可持续按压 30 ～ 60 秒，并可逆时针揉动，穴下刺激感要小，以达补虚祛病之效。

选取穴位：关元、隐白、脾俞、足三里、三阴交。

(4) 肾阴亏虚：经乱，血时少时多，色鲜红、质稍黏稠，伴头晕耳鸣、心悸失眠、五心烦热，舌红苔少，脉细无力等症状。

按压穴位疗法：取任脉、足少阴肾经经穴进行治疗，按压手法要求力度逐渐加大，动作平稳和缓，抵患处或穴位深处，每穴按压时间要稍长，可持续按压 30～60 秒，并可逆时针揉动，穴下刺激感要小，以达补虚祛病之效。

选取穴位：肾俞、关元、三阴交、太溪、阴谷、内关、次髎。

健康风向标

要预防功能失调性子宫出血，就要避免精神过度紧张，保持情绪愉快，做到有劳有逸，既不可过劳，又要适当参加体育锻炼；饮食当富含营养、多样化，不可偏嗜过嗜，尤其是寒凉辛燥肥甘之品。

带下——按压这几个穴位效果最佳

女性生活馆

金某某，女，22岁。自诉胸胁胀满，食欲不振，小便有涩痛之感，尿浊，带下赤白相兼，量多，臭气难闻。曾用西医西药治疗好转，一周之后症状复发并且比以前症状加重。带下如冻状，有时为豆腐渣样，中医认为以上诸证属于脾虚之征，湿热蕴结所致。按压穴位治疗，3个星期后症状全部消失，恢复正常。

带下是指妇女阴道分泌物明显增多，色、质、气味异常的症状。寒湿或湿热下注，或热毒浸淫，或脾肾阳气亏虚等常可见带下异常。带下一般见于女阴局部感染邪毒，或胞宫等的病变，最常见于带下病，但身体虚弱或痰湿内盛者亦可见带下量多。

带下多由饮食不节，劳倦过度，或忧思气结，损伤脾气，或房事不节，年老久病，损伤肾气，脾肾不能运化水湿，带脉失约，以及恣食厚味酿生湿热，或情志不畅，肝郁脾虚，湿热下注，或感受湿毒、寒湿等引起。

按压疗法可根据不同病症表现选取组穴。按压穴位疗法健脾益肾，清热利湿。取任脉、带脉和足太阴经穴为主。

(1) 湿热下注：带下色黄黏腻，或夹血液，其气秽臭，阴部瘙痒，小便短赤，口苦咽干，舌质红苔黄腻。

选取穴位：带脉、白环俞、气海、三阴交。行间、阴陵泉。

(2) 寒湿脾虚：带下色白或淡黄，无臭，质稀薄，如涕如唾，连绵不断，伴有腰部酸痛，小腹有冷感，肢体疲乏，食欲不振。舌质淡，苔白滑，脉沉迟。

选取穴位：带脉、白环俞、气海、三阴交。关元、足三里。

健康风向标

对带下等女性疾病，重点还是在于预防。除洁身自爱、调畅情志、避免不洁性行为、定期进行妇科检查外，重点应注意个人卫生，养成良好的卫生和生活习惯。

慢性盆腔炎——气海、关元和血海迅速驱除"腰魔"

女性生活馆

小雪和丈夫结婚两年了，感情一直很好。可这段日子，也不知是怎么了，她总觉得自己对丈夫的缠绵有些吃不消了。不知是从什么时候开始，每次过性生活的时候，自己的隐私部位就会隐隐地痛。这种痛感一阵阵的，不太明显，却又如影随形。起初，她想自己会不会是得了什么妇科炎症，所以就买了点儿消炎药吃了，效果却不明显。渐渐地，曾经十分和谐的夫妻生活对小雪来说，变成了一种折磨。

小雪开始对丈夫有了怨言，夫妻间的感情也越变越淡，终于有一天丈夫摔门而去。丈夫走后的日子，小雪觉得自己的身体状况越来越差了。不仅下腹总是隐隐作痛，有时还腰部酸痛。晚上洗澡的时候，经常发现自己白带很多，而且还有股难闻的异味。几天后，小雪的例假来了。好像什么事情都和她作对似的，这次来的月经量特别多。为了应付这些，她总是累得全身乏力，晚上睡不好，精神也很委靡。最后，小雪到了医院。医生的诊断结果是：她患上了慢性盆腔炎。医生除了给她开了药方外，还让她按揉气海、关元、血海、三阴交4个穴位，每天坚持就可以缓解病痛的折磨，她按照医生的说法做了，没想到还真管用，她好了很多。

盆腔炎是一种较为常见的妇科疾病，大多是因为个人卫生、不洁性交等引起的。急性盆腔炎表现为：下腹疼痛、发热，如病情严重，可有高热、寒战、头痛、食欲不振等情况。

慢性盆腔炎表现为：低热，易疲乏，病程较长，有神经衰弱症状，如精神不振、周身不适、失眠等，还有下腹部坠胀、疼痛及腰骶部酸痛等症状。

常在劳累、性交后及月经前后加剧。此外，患者还可出现月经增多和白带增多的现象。

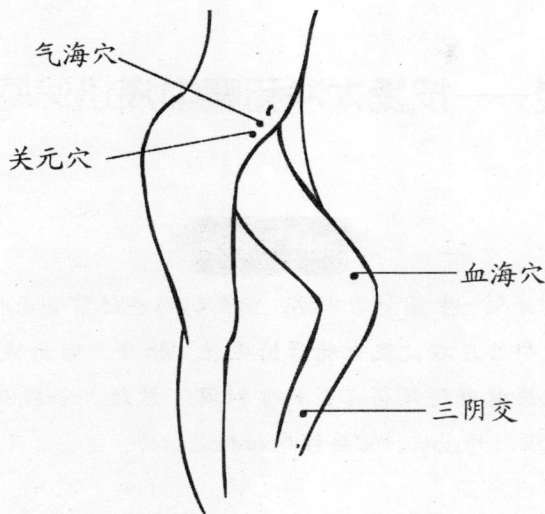

慢性盆腔炎可以通过穴位特效疗法来缓解和治疗，具体方法是：

患者仰卧，双膝屈曲，先进行常规腹部按摩数次，再点按气海、关元、血海、三阴交各半分钟，然后双手提拿小腹部数次。痛点部位多施手法。

患有慢性盆腔炎的女性在生活中还要注意几个方面：

（1）注意个人卫生。加强经期、产后、流产后的个人卫生，勤换内裤及卫生巾，避免受风寒，不宜过度劳累。

（2）多吃清淡的食物。多食有营养的食物，如鸡蛋、豆腐、赤豆、菠菜等。忌食生、冷和刺激性的食物。

（3）经期避免性生活。月经期忌房事，以免感染。月经垫要注意清洁卫生，最好用消毒卫生巾。

✳ 健康风向标 ➜

慢性盆腔炎患者尽量避免不必要的妇科检查，以免扩大感染，引起炎症扩散。多喝水，因为盆腔炎容易导致身体发热，所以要注意多喝水以降低体温。

急性乳腺炎——按揉太冲和膻中穴

女性生活馆

　　做妈妈是女人一生莫大的幸福，但新妈妈也经常会面临这样的情况：给宝宝喂奶一个月左右，乳头就开始皲裂、胀痛，感觉特别疼，不敢喂奶，一喂奶就感觉痛得不得了，严重时都不敢碰，一碰就胀疼胀疼的。其实这就是乳腺炎的症状，需要按摩和辅助治疗。

　　急性乳腺炎是产褥期的常见病，一般以初产妇较多见，发病多在产后3～4周。如不及时处理，则易发展为蜂窝组织炎、化脓性乳腺炎。

　　急性乳腺炎的临床表现为畏寒、发热，乳房肿胀、疼痛，出现界线不清的肿块，表面皮肤微红，触痛。若炎症继续发展，症状则更为严重，多有寒战、高热、乳房疼痛加剧，表面皮肤红肿发热等。如不及时处理或处理不当，数日后可形成脓肿，即化脓性乳腺炎。一旦病情严重，产妇十分痛苦，婴儿也将被迫断奶。

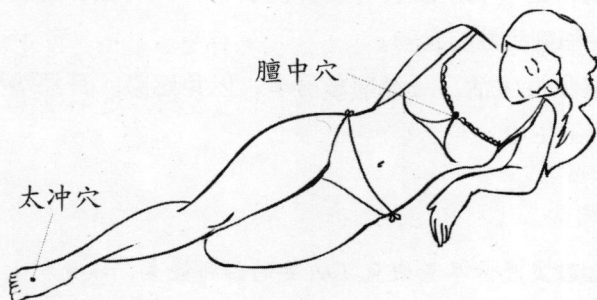

膻中穴

太冲穴

　　如果你不小心得了急性乳腺炎，不要着急，可以采取下面的方法进行治疗：

坚持每天下午 3 ～ 5 点按揉太冲和膻中穴 3 ～ 5 分钟，然后捏拿乳房，用右手五指着力，抓起患侧乳房，一抓一松揉捏，反复 10 ～ 15 次，重点放在有硬块的地方，坚持下去就能使肿块柔软。

对于患上急性乳腺炎的产妇来说，除了进行自己按摩疗法外，生活中还要注意以下方面的问题，这样会有利于乳腺炎的快速痊愈。

1. 每次喂奶前产妇要先洗手，擦净乳头，喂奶后用清洁纱布覆盖乳头，并用胸罩托起乳房。

2. 产妇奶水过多或宝贝吸不完时，最好用吸奶器及时吸空乳房。

3. 及时清除乳头表面上的乳痂，以免奶水排出不畅，使奶水淤滞在乳房内。

4. 尽量不要让宝贝含着乳头睡觉，这样容易使宝贝咬乳头，造成乳头破损，诱发乳头感染。

5. 每次喂奶的时间不要过长，以 15 ～ 20 分钟喂一次为宜，最多不宜超过30 分钟。

6. 乳房出现淤积的奶块时，可以先做热敷，并轻轻地用手向乳头方向揉动，促使奶块化开，并将奶水挤出或用吸奶器吸出。

7. 发生乳头皲裂时要暂时停止哺乳，用吸奶器将奶水吸出，待伤口痊愈后才能直接哺乳。

❋ 健康风向标

哺乳期的新妈妈要穿棉质内衣，因为鲜艳夺目的尼龙化纤材料的内衣掉下的微小线头非常容易钻到乳头里面去，引起炎症。

乳腺增生——自我按摩防止乳腺增生

女性生活馆

　　最近，许多单位都安排职工进行一年一次的身体检查，许多女性都被医生提醒："你的乳腺有些增生。"这让很多女士非常紧张，生怕和乳腺癌挂上钩。专家认为，大家大可不必这么紧张，由乳腺增生演变成癌症的概率很小，只要注意调整自己的情绪，舒缓压力，再配合一些按摩治疗，乳腺增生是不会威胁健康的。

　　乳腺增生是妇女常见、多发病之一，多见于 25 ～ 45 岁女性，其本质上是一种生理增生与复旧不全造成的乳腺正常结构的紊乱，症状是双侧乳房同时或相继出现肿块，经前肿痛加重，经后减轻。在我国，囊性改变少见，多以腺体增生为主，故多称乳腺增生症。

　　造成乳腺增生的原因非常复杂，专家们的看法到目前为止也不完全一致，但有两个因素是大家都比较认同的。一个是内分泌紊乱，如果女性体内卵巢分泌的激素量不太正常，就容易出现这种毛病。内分泌紊乱的表现还有月经量过多或过少、经期不是很准确，等等。

　　另外一个重要的因素就是精神因素。现代女性工作和生活的压力都很大，一些女性因而出现由精神因素引发的内分泌失调、植物神经紊乱、睡不好觉、脾气暴躁，这些都会对乳腺产生不良影响。还有，现在人们的饮食好了，有高血压、高血糖病的人也很多，这也容易使女性出现内分泌失调，雌激素水平和腺体结构都出现一定程度的紊乱。

　　自我按摩可以预防乳腺增生：

　　推抚法：取坐位或侧卧位，充分暴露胸部。先在乳房上撒些滑石粉或涂上少许石蜡油，然后双手全掌由乳房四周沿乳腺管轻轻向乳头方向推抚50～100次。

揉压法：以手掌上的小鱼际或大鱼际着力于患部，在红肿胀痛处施以轻揉手法，有硬块的地方反复揉压数次，直至肿块柔软为止。

揉、捏、拿法：以右手五指着力，抓起患侧乳房部，施以揉捏手法，一抓一松，反复施术10～15次。左手轻轻将乳头揪动数次，以扩张乳头部的输乳管。

振荡法：以右手小鱼际部着力，从乳房肿结处，沿乳根向乳头方向作高速振荡推擀，反复3～5遍。局部出现有微热感时，效果更佳。

防止乳腺增生除了按摩预防之外，还要注意改变生活中的一些环境行为因素，从根本上防止乳腺增生病的进一步发展。如调整生活节奏，减轻各种压力，改善心理状态；注意建立低脂饮食、不吸烟、不喝酒、多活动等良好的生活习惯；注意防止乳房部的外伤，等等。

❋ 健康风向标 ➡

乳腺增生对人体最大的危害莫过于心理的损害，因缺乏对此病的正确认识，过度紧张刺激、忧虑悲伤，造成神经衰弱，会加重内分泌失调，促使增生症的加重。故应解除各种不良的心理刺激。心理承受力差的人更应注意少生气，保持情绪稳定，开朗的心情有利于早日康复。

不孕症——这样按压穴位就可能让你如愿以偿

女性生活馆

> 刘某，女，29岁，广东佛山人，结婚6年未孕，妇科检查未见异常。症见月经后期，量少色淡，小腹冷痛，腰酸腿软，情志不佳。后来她结识了一位老中医，他告诉刘某一个好办法，就是按压穴位。没想到刘某坚持按压穴位不到半年就怀孕了。

凡育龄妇女，结婚两年以上，丈夫生殖功能正常，夫妇同居有正常性生活且未采取避孕措施而不受孕者称"原发性不孕"，属中医"无子"范畴。如曾生育或流产后，无避孕而又两年以上不再受孕者，称"继发性不孕"，中医称"断绪"。卵巢功能低下或卵巢内分泌障碍，以及下丘脑、垂体、卵巢之间内分泌平衡失调是引起月经异常，女性不孕症的常见原因。中医学认为不孕症与肾的关系密切。肾虚不能温煦胞宫，或肾虚精血不足、肝郁气血不调，皆致胞脉失养而致不孕。

按压疗法可根据不同病症表现选取组穴。

(1) 肾阳亏虚：婚后不孕，月经后期经量少，色淡，腰脊酸软，形寒肢冷，小腹冷坠，头晕耳鸣，舌淡苔白，脉沉迟。

按压穴位疗法：取任督脉、足少阴肾经经穴进行治疗，按压手法要求力度逐渐加大，动作平稳和缓，抵患处或穴位深处，每穴按压时间要稍长，可持续按压30～60秒，并可逆时针揉动，穴下刺激感要小，以达补虚祛病之效。

选用穴位：肾俞、气海、关元、命门、阴交、曲骨、太溪、照海。

(2) 肝郁血虚：婚后不孕，经行先后不定期，经血紫红有块，量少，面色萎黄，胸胁乳房胀痛，情志不畅，舌淡苔薄白，脉细弦。

按压穴位疗法：取足厥阴肝经、足太阴脾经、足阳明胃经穴进行治疗，按压手法要求力度逐渐加大，动作平稳和缓，抵患处或穴位深处，每穴按压时间要稍长，可持续按压 30 ～ 60 秒，并可逆时针揉动，穴下刺激感要小，以达补虚祛病之效。

选用穴位：关元、气户、子宫、太冲、肝俞、中极、足三里、三阴交，血虚身热加血海，头晕心悸者，加百会、神门。

(3) 淤滞胞宫：经期错后，经行涩滞不畅，小腹隐痛，经血夹有紫块。舌质暗或有紫斑，苔薄黄，脉滑或涩。

按压穴位疗法：取任脉、足太阴脾经、足阳明胃经穴进行治疗。按压手法要求用力适中，平补平泻，可按不同方向旋转揉动，每穴按压时间约 10 ～ 40 秒，穴下要有一定刺激感，以产生治疗效果。

选用穴位：中极、气冲、丰隆、气海、血海。

❋ 健康风向标 ➤

专家提醒，一些患不孕症的女性怀疑自己是因为身体不好而不孕，想对身体进行一次大滋补。但是要区别对待，盲目地服用太多保健滋补品可能会加重病情，一定要谨慎。

外阴瘙痒症——按压穴位让你的阴部舒服清爽

女性生活馆

　　张艳向同事小赵哭诉："最近，阴部瘙痒得厉害，就像无数的小虫在作祟，上班都上不好。又不能随便用手抓，怕细菌感染，每天用清水洗也不管用。去医院拿了药，吃了几天效果也不好，你说我怎么办啊，真痛苦。""你算问对人了，"小赵说："以前我也有这样的经历。后来，有人告诉我，按压穴位可以治好，没想到还真有效，没多长时间，我的阴部就不痒了。""快说快说，按摩哪儿啊？"张艳迫不及待，于是小赵开始向她传授真经。

　　外阴瘙痒症系指妇女外阴部或阴道内无原发性皮肤损害而出现瘙痒，甚则痒痛难忍的疾病，属中医"阴痒"、"阴门瘙痒"等范畴。主要表现为阴部瘙痒，严重者可波及会阴、肛门甚至大腿内侧，患者常伴有精神疲惫、憔悴、情绪急躁、高度神经质等症状。外阴白斑所致者更是奇痒难忍，并伴有皮肤及黏膜变白、变粗或萎缩，较易引起癌变。中医学认为本病发生的病因病机主要是肝、肾、脾功能失常。常见的如肝经湿热症。

　　按压疗法可根据不同病症表现选取组穴。

　　(1)肝经湿热：阴部瘙痒，胸闷不舒，口苦咽干，带下量多，色黄稠，烦躁失眠，小便黄赤。舌苔黄腻，脉弦数。

　　按压穴位疗法：取任脉、足太阴脾经、足厥阴肝经穴。

　　选取穴位：中极、蠡沟、曲泉、曲骨、阴陵泉、行间、水道。

　　(2)肝肾阴虚：阴部干涩奇痒，灼热疼痛，或带下量少，色黄腥臭，伴头晕耳鸣目眩、腰酸、五心烦热、口干咽燥等症状。舌红苔少，脉细无力。

按压穴位疗法：取任脉、足少阴肾经、足太阴脾经穴进行治疗。

选取穴位：中极、下髎、血海、阴陵泉、三阴交、太溪、冲门。奇痒者加神门、止痒穴。

健康风向标

若发生外阴瘙痒，首先要注意外阴部的清洁卫生，不用肥皂清洗外阴；尽量克制搔抓和摩擦患处；饮食忌辛辣；注意避免情绪的忧郁和紧张。

第六篇

保养经络
是女性健康之根本

Chapter1

第一章
让全身通起来有章可循

一学就会的经络刺激法

女性生活馆

　　毛毛跟别的女孩一样崇尚健康和美丽，最近迷上了经络按摩，因为她认为这种方法是获得健康和美丽最简单、最有效和最廉价的方法。但是最让她犯愁的是太多太复杂的经络刺激法，她都不知道如何下手，后来她请教了一位中医，这位中医传授给她三种简单而有效的经络刺激法，她欣喜若狂！

　　很多人一提起经络按摩、推拿之类的词都会顿生崇拜之情，觉得其博大精深，因为经络是如此神秘和复杂，对于掌握其中的经络刺激法更是想都不敢想的事情。在这里，我们教你几种一学就会的经络刺激法，一定会给你一种豁然开朗的感觉。

1. 掌握指法技巧

　　在家庭中能进行的穴位刺激中，最普遍的就是指压。不要小看你的手指头，它也蕴涵着很多玄机呢。

　　指压的第一个诀窍是利用容易施力的大拇指，或食指、中指，用指腹按压，可以加重压力，而且长时间按压也不觉得疲倦。

　　还有一个诀窍，就是按压的补泄之分。有慢性病或者长期营养不良的人往往身体虚弱，这时要予以轻刺激，温柔一点，称为补法，即补充能量，使器官恢复到正常水平。当某些患者神经亢奋、疼痛较强时，要予以重压，称为泄法，即抑制过高能量的刺激法。总的来说，每次按压3～5秒，中间间隔2～3秒，重复3～5次，效果最好。

2. 灸法是一种补法

灸法是利用某些易燃材料如艾草或某些药物，以烧灼、熏熨和贴敷腧穴或患处，借助其温热性和药性，通过经络，达到治疗和保健的作用。

灸时，首先在手掌中放置艾草，并将它捻成细长状，然后在其间断部分2～3厘米处摘下，制成大约米粒一般大小的金字塔形灸。

用少许水将皮肤弄湿，在穴位上放上上面所说的灸，如此艾草容易立起来，然后点燃线香，引燃艾草，在感到热时更换新的艾草。

3. 学会利用身边的器物

把五六支牙签用橡皮条绑好，以尖端部分连续扎刺等方式刺激穴道。刺激过强时，则用圆头部分，此法可期待出现和针灸疗法相同的效果。

不喜欢针灸的朋友，可以用吹风机的暖风对准穴道吹，借以刺激穴道。这算是温灸的一种。

体质虚弱的人，肌肤较容易过敏，再小的刺激往往也受不了，此时可利用旧牙刷以按摩的方式来刺激穴道。

以手指作按压的时候，想省劲一些的话，可以用圆珠笔替代，方法是用圆珠笔头压住穴道，此法压住穴道部分的面积广，刺激较缓和。

脊椎骨的两侧有许多重要的穴道，可惜的是，自己无法好好地刺激它们。如果有软式棒球，既可轻易地达成目的。仰卧，将球放在背部穴道的位置，借助身体的重量和软式棒球适度的弹性，穴道可获得充分的刺激。

❋ 健康风向标

真正的按摩是五指并用，有"捶"、"搓"、"揉"、"压"等各种按摩法，其中的压就是上面所说的"指压"。一般说来，捶、搓等疗法是补法，用于手脚发麻等症状，捶或压属于泻法，用于神经痛等厉害的病症。

经络也有自己的"运营时刻表"

女性生活馆

　　阿蒙是一名律师，因为工作的缘故，经常熬夜到凌晨。所以，她一般睡到中午才起床，可是即便这样，每天早上也要从床上早早爬起。因为一到早上6点钟左右，就肚子疼有便意，要去厕所小坐。这个"天然闹钟"害得她好生烦恼。可是有一天她无意中了解了一下经络常识，得知凌晨5～7点是大肠经开的时刻，顿时茅塞顿开。

　　在开始本文的内容之前，我们先来打个比方。如果你去医院找某个专家看病，你老早就过去了，排了很长时间的队，到跟前了却被告知该专家当日不当班。你会是多么沮丧？

　　要知道，经络也有自己的上班时间，在它的工作时间你去找它，自然会收获颇丰，如果在它休息的时间去叩它的家门，你不会被欢迎的，即使它勉强接待了你，也不会给你什么好处。所以，要想通过经络疗法保护自己，必须在心里有张人体经络"运营时间表"。

　　健康风向标

　　人要及时补充水分，建议每天至少喝两升水，相当于8杯水。除此之外，与水的接触也很重要，水可以把经络游移的有害毒素排除体外。经常游泳或睡觉前洗个热水澡，不仅能让肌肤湿润，还能消除头疼脑热这些小病，多喝水，多与水接触也是经络保养之道。

中国经络与健康

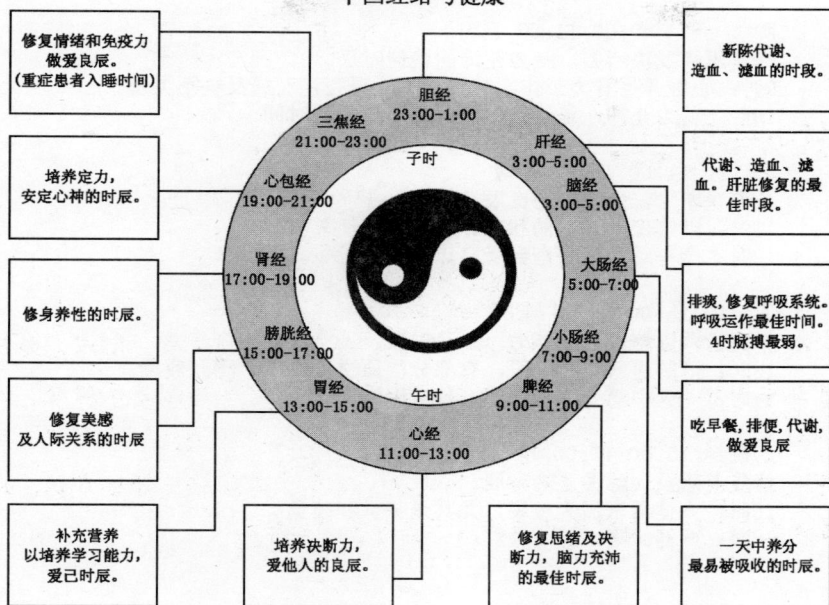

修复情绪和免疫力
做爱良辰。
（重症患者入睡时间）

新陈代谢、
造血、滤血的时段。

培养定力，
安定心神的时辰。

胆经
23:00-1:00

三焦经
21:00-23:00

肝经
3:00-5:00

子时

心包经
19:00-21:00

脑经
3:00-5:00

代谢、造血、滤血。肝脏修复的最佳时段。

修身养性的时辰。

肾经
17:00-19:00

大肠经
5:00-7:00

膀胱经
15:00-17:00

小肠经
7:00-9:00

排痰，修复呼吸系统。呼吸运作最佳时间。4时脉搏最弱。

修复美感
及人际关系的时辰

胃经
13:00-15:00

午时

脾经
9:00-11:00

心经
11:00-13:00

吃早餐，排便，代谢，做爱良辰

补充营养
以培养学习能力，
爱己时辰。

培养决断力，
爱他人的良辰。

修复思绪及决断力，脑力充沛的最佳时段。

一天中养分
最易被吸收的时辰。

肝　　经　01:00-03:00丑时
代谢、造血、滤血。肝脏修复的最佳时段。
1时：进入易醒的浅睡眠阶段，对疼痛特别敏锐。
2时：身体内的大部分器官工作节奏极慢，而肝脏则在加紧工作。

肺　　经　03:00-05:00 寅时
排痰、修复呼吸系统。呼吸运作最佳时间。4时脉博最弱。
3时：全身休息，肌肉完全放松，血压降低，脉搏的跳动次数最少。
4时：血压进一步降低，脑部供血量最少，重病者易在此时死亡。

大　　肠　05:00-07:00　卯时
吃早餐，排便，代谢，做爱良辰。
5时：此时起床会感到精神饱满。
6时：血压升高，心跳加快。

小　　肠　07:00-09:00　辰时
一天中养分最易被吸收的时候。
7时：人体免疫功能特别强。
8时：肝内的有毒物质全部排出。

脾　　经　09:00-11:00　已时
修复思绪及决断力，脑力充沛的最佳时辰。
9时：心脏开足马力工作，神经活动性提高，对痛反映不灵敏。
10时：精力充沛，是一天中注意力最集中的时间。

心　　经　11:00-13:00　午时
培养决断力，爱他人的良辰。
11时：继续保持10时的状态。
12时：全身动员，兴奋到最高点。

胃　　经　13:00-15:00　未时
补充营养以培养学习能力，爱己时辰。
13时：肝脏进入休息阶段，有部分糖原进入血液，感到疲倦。
14时：一天中第二兴奋低点，反应迟钝。

膀胱经　15:00-17:00　申时
修复美感及人际关系的时辰。
15时：人体器官极为敏锐，尤其是味觉和嗅觉。
16时：血糖升高，脸部最红。

肾　　经　17:00-19:00　酉时
修身养性的时辰。
17时：一天中工作效率最高的时间。
18时：疼痛感下降，神经活动性降低，增加活动量可以使精神振作。

心包经　19:00-21:00　戌时
培养定力，安定心神的时辰。
19时：血压增高，情绪最不稳定。
20时：体重最重，反应迅速。

三焦经　21:0-23:00　亥时
修复情绪和免疫力。做爱良辰。（重症患者入睡时间）
21时：神经活动正常，记忆力强。
22时：血液内白细胞增加，体温下降。

胆　　经　23:00-01:00　子时
新陈代谢、造血、滤血的时段。
23时：人体准备休息。
0时：全身肌肉松弛，各器官活动极慢，渐入梦乡。

怎样最快最准确地找到穴位

女性生活馆

同事小刘神采奕奕地向我们炫耀，她说："最近，我找到了一个能让自己变得更漂亮的方法，不但不花钱还特别有效。""真的啊？什么方法，赶紧说。"大家都不约而同地叫出来。"经络按摩美容法。"她得意扬扬地说。"那我想把我脸上的黑头去掉，应该按摩哪里呢？"同事小张带着疑惑和好奇看着小刘。"阴陵泉。"小刘快速地回答道。"这个穴位在哪呢？"小张不解地问。"这个嘛，我还真不知道，我研究了半天，可就是找穴位的时候找不到，这个也最让我头疼了。"小刘有些泄气。"哎，不知道穴位在哪又有什么用啊？"大家都带着遗憾散开了，小刘也无奈地回到了自己的座位上。

通过按摩经络来达到强身健体、美容养颜的目的，最重要的就是找对地方，不管你介绍的方法有多好，效果有多么的神奇，如果不能正确找到相应的穴位，一切都是枉然，不具有任何意义。没有什么方法比经穴疗法更适合做家庭疗法的了，但是因为找穴位太困难，所以很多人在经络养生面前望而却步，在这里我们要介绍一些任何人都能使用的，能最快、最准确地找到穴位的方法的诀窍。

1. 找反应

身体有异常，穴位上便会出现各种反应，这些反应包括：

压痛：用手一压，会有痛感。

硬结：用手指触摸，有硬结。

感觉敏感：稍微一刺激，皮肤便会很痒。

色素沉淀：出现黑痣、斑点。

温度变化：和周围皮肤有温度差，比如发凉或者发烫。

在找穴位之前，先压压、捏捏皮肤看看，如果有以上反应，那就说明找对地方了。

2. 记分寸

中医里有"同身寸"一说，就是用自己的手指作为找穴位的尺度。大拇指的指间关节的宽度是"一寸"；食指和中指并拢，从指尖算起的第二关节的宽度就是"两寸"；把四指并拢，第二关节的宽度就是"三寸"。

另外，倘若知道身体中哪一部位有什么骨骼，找起穴位就更容易了。比如低头时，脖子后部正中最突出的凸骨，就是第七颈椎，紧接着的凸骨是第一胸椎；两边肩胛骨的最下端跟第七胸椎骨的突起在一条线上；腰左右两侧突出的骨头，也就是系腰带的位置，跟第四腰椎的突起在一条线上。

健康风向标

使用经络疗法前不要吸烟，因为香烟中含有致命的毒物，所含的致癌物质多达 40～200 种，其中的尼古丁更是剧毒物质。如果在进行穴位治疗前抽烟，尼古丁一旦进入体内，就会造成交感神经紧张，血管收缩，血液循环不畅通，并影响疗效。

按摩穴位时要注意保温

女性生活馆

刘老太太今年88岁了，可身体一直很硬朗，精神依然矍铄，特别是头脑的灵活性更是同龄人不能相比的，难道刘老太太有什么灵丹妙药吗？后来，有人从她那吸取了长寿之经：经络按摩。于是，消息不胫而走，传遍了大街小巷，凡是老人都开始了经络按摩。可是不知为什么，效果却令好多老人失望至极，按摩了半年，还是该得病的得病，该吃药的吃药。原来，这些老人之所以按摩经络没有效果，原因是在按摩时不会掌握分寸，没有注意保温，因为只有在适宜的温度下，按摩经络才能有疗效，否则将落得个白忙活的结果。

经络只有在适当的温度（25℃左右）下按摩穴位才能被激发活跃起来。针灸实验表明，如果把温度降到20℃以下，则针灸的"得气"（酸、麻、胀的感觉）现象就会不明显，因此，临床上经常会看到灸与针，灸与拔罐一起操作，即在针灸和拔罐前先在穴位上进行艾灸，当局部温度升高后，再进行针灸和拔罐，使治疗效果更加显著。

有资料报道，很多顽固性疾病，如感冒高烧不退、肺炎、哮喘、冠心病、消化道溃疡等，只要在其背部热敷10～20分钟，每天两次，就可以逐渐控制这些症状。这说明要使经络按摩发挥作用，温度的刺激和保温至关重要。所以，再进行穴位按摩时，必须在25℃左右的温度条件下进行，如果室温达不到，可以盖上被子进行操作。

健康风向标

　　刺激穴道要在呼气时进行，穴道疗法最容易忽视的是呼吸，似乎很少人知道，呼气时刺激经络和穴位，传导效果更佳，能取得更好的效果。吸气时，肌肉收缩而僵硬，这时刺激穴位不会有太好的效果。相反的，呼气时，肌肉松弛而柔软，此时给予刺激，不仅痛感会减少，并且传导也会更佳。

Chapter2

第二章
把经络保养好，女人才能更美丽

人生病就是不注意保养经络

> 丹丹从小娇生惯养，从小到大洗衣服、做饭等家务她从来就没接触过，真是"衣来伸手，饭来张口"。后来父母也知道这样对孩子的自理能力培养是很不利的，于是把丹丹送到一个寄宿中学上学，在那里她必须自己照顾自己。可是一个月下来，丹丹消瘦了很多，抵抗力也下降了，还因为生病几天卧床不起。这都是因为她的生活完全没有规律性，饮食不当、情绪不佳、睡眠不好，使身体内的经络完全紊乱所造成的，后来父母带她看老中医，老中医一语中的："不注重保养经络，当然会生病了。"

所谓"保养经络"，就是在经络锻炼的基础上，还要在日常生活中不断呵护自己的经络，即保养自己的经络，才能全方位地解决自己的健康问题。单纯地锻炼，而不注重保养经络，那么锻炼再多，也不能使自己的身体健康起来，充其量也只能算是表面形式或心理安慰而已，效果是不会尽如人意的。

"保养经络"早在2500年前的《黄帝内经》一书中就有所提及，由此可见，古人很早以前就已经非常关注与重视"保养经络"的问题。究其原因，其根本就在于经络是人体的总控制系统，它与人体各个器官、各种病症密不可分。正是因为所有的病症都与经络有关，因此，作为现代人，我们就更应该注重日常生活中"保养经络"的问题。

在我们的人生中，处处都设有"红灯"，如吸烟喝酒、长期熬夜、纵欲风流、暴饮暴食、情绪紧张、抑郁焦虑以及各种违背自然规律的生活习惯，这些红灯会堵塞你的经络。处处闯红灯，你的健康之路还能走多远？你的身体将比交通堵塞的道路还要糟。

"保养经络"包括健康的生活起居、合理的饮食结构、良好的心理素质，加上日常的经络锻炼与保健。其目的只有一个，就是在平时的生活中不断保养好自己的"经络"。否则，违背了健康养生之道，人必将生病。

我们在日常生活中可以通过多种方式来达到"保养经络"的目的，如规律的生活起居，饮食合理，营养均衡，同时有一个宽容、良好的心态，有一颗包容的心，不计较，无贪欲。那么，具备了这些要点，就是"保养经络"，是对健康有着积极的促进作用的。

※ 健康风向标

　　　酸和痛都表示经络尚且畅通，但在该处狭窄或有拥堵，流通不畅。酸多表示气血虚弱，需要补，不可采用过强手法。麻表示经络还通，只是气到血未到。而刺痛则表明该处有气血在，却堵住了，气血正在努力冲撞，此时则稍微用力度大的手法都助疏通。

手足天天温暖，经络才能有生机

女性生活馆

　　有个女孩一来月经就手发麻，腿和脚也时常发疼发麻，开始认为这是女人经期的正常反应，可是后来越来越感觉严重了。她来到医院，想"探"个究竟，医生问她是不是很不注意保暖，她说："不管是洗衣服还是做饭，或者洗脚，也不管是夏天还是冬天，我一律用凉水，从来没用过热水。"医生说："女孩子要注意保持手脚温暖，这样才不会让自己受罪。"以后她事事小心，时时注意，没想到还真管用，经期手脚再也不麻了。

天地的寒气经常会从我们的手足进入我们的身体，而经络气血的正常流通需要恒定的温度，中医认为寒则凝，就是说，寒气会让经络气血流通不畅。如经络轻度堵塞就让人感冒、头痛，手足长期接触寒气，经络严重堵塞的话，就会得腱鞘炎、关节炎等疼痛难忍又很难痊愈的病。在医院骨科，有很多得了腱鞘炎、手足关节肿痛的中老年妇女来看病，原因就是她们不注意手的保暖，经常大冬天接触冷水，寒气长时间郁闭经络造成的。寒气一般都是从手、足、口进入人体的，比如经常吃生冷的东西，大冬天经常用冷水洗东西，平时爱打赤脚等。这些生活上不注意的小细节都会让寒气有机可乘，侵犯人体经络使人致病。

所以，你要注意手足的保暖，炎热的夏天不要长时间待在空调屋里，冬天要注意戴手套，平时要用热水泡脚。经络贯穿于全身的各个部位，形成一个遍布全身的纵深的网络，而手足是经络主枝的顶梢，在治疗脏腑病和经络病方面有巨大的功效。

健康风向标

有些人一到冬天就习惯性冻脚，就想用热水暖暖脚，这样做不可取。脚被冻了，说明受到极冷风寒的侵袭，温度低过身体正常耐受程度，皮肤、肌肉处于僵硬状态。此时若突然用热水烫脚，会使温度从冷到骤热，皮肤、肌肉经受不起几十摄氏度巨大的温差，从而加重了冻脚的病情，严重的甚至会使肌肉与骨剥离。因此，冻脚时应用手适度揉搓，使脚发热，而不是简单地用热水泡。

步行也是对经络的一种抚慰

女性生活馆

一次在看杂志时，看到这样一段论述："在20世纪40年代初，何应钦50岁出头，在保健医生的建议下，养成了散步特别是快走的习惯。这位保健医生是留美医学博士，有很多新观念。他建议说，何将军身体素质好，常年坚持锻炼，有很好的锻炼基础，不妨选择快步行走作为老年锻炼的主要方式。他开始坚持快步锻炼，还真是效果很好。"然后我就想，快步走适合何应钦，也同样合适我们女性。

按照中医的理论，"走为百炼之祖"，人的五脏六腑在脚上都能找到相应的穴位。脚踝以下有51个穴位，其中脚掌有15个，是人体的第二个心脏。步行锻炼也就是全身的经络和穴位锻炼。走路时，脚掌不断与地面接触，刺激脚底反射区，使对应的器官加快了新陈代谢，从而达到健身目的。世界卫生组织也有"最好的运动是步行"之说。可是要想达到理想锻炼效果，走路的技巧不可忽视。

第一，走路时要有正确姿势，如头要正，目要平，躯干自然伸直（沉肩，胸腰微挺，腹微收）。这种姿势有利于经络畅通，气血运行顺畅，使人体活动处于良性状态。

第二，步行时身体重心前移，臂、腿配合协调，步伐有力、自然，步幅适中，两脚落地要有节奏感。

第三，步行过程中呼吸要自然，应尽量注意腹式呼吸的技巧，即尽量做到呼气时稍用力，吸气时要自然，呼吸节奏与步伐节奏要配合协调，这样才能在步行较长距离时减少疲劳感。

第四，步行时要注意紧张与放松、用力与借力之间相互转换的技巧，也就是说，可以用力走几步，然后再借力顺势走几步。这种转换可大大提高走步的速度，并且会感到轻松，节省体力。

第五，步行时，与地面相接触的一只脚要有一个"抓地"动作（脚趾内收），这样可以促进脚和腿的微循环。

第六，步行快慢要根据个人具体情况而定。研究发现，以每分钟走80至85米的速度连续走30分钟以上时，防病健身作用最明显。

健康风向标

"饭后百步走"，适合平时活动较少、长时间伏案工作、形体较胖、胃酸过多的人。这类人饭后散步20分钟，有助于减少脂肪堆积和胃酸分泌，利于身体健康。"饭后不要走"，适合体质较差、体弱多病的人。这些人不但饭后不能散步，就连一般的走动也应减少，因为胃内容物增加，应平卧10分钟。此时如果活动会增加胃的震动，加重其负担，严重时会导致胃下垂。

保证胃肠清洁，经络才能正常工作

女性生活馆

重庆有一位107岁的蒋德清老人，头脑清晰，记忆力好，听力也不错。在庆祝她寿诞的时候，老人向人透露了自己的长寿秘诀：每年有两三天时间不吃饭、只喝水，目的就是为了清肠排毒养生。当地报纸以重要位置披露了这个消息。许多名人，如伊丽莎白·泰勒和英国王妃黛安娜都接受过"大肠水疗"等清肠方式。据说，宋美龄之所以长寿，也和她重视清理肠道有关系，她每周都用液体灌肠，清理肠道内淤积的毒素。

肚子老是硬鼓鼓的，看起来像只"大青蛙"，好丑。有没有想过，这是"假胖"，很可能是因为腹内污垢堆积，造成了腹内胀气、不通畅而造成的。

随着生活越来越安逸，很多人因此生活无规律、饮食无度，加之运动量太少，很多女性不同程度上存在宿便未净的问题，所以都市很多女性，尤其是久坐不动的白领们患上痔疮的几率会更大。

有数据显示，当代都市女性与 20 年前相比，排便量减少了 20% 左右，肠道承受着越来越重的压力，身体里的毒素越来越多，淤积于经络，导致经络不通，体质下降，身体就变成了酝酿疾病的沃土。

如果有宿便，那就必须清理。清理肠胃就可以清理宿便，可以改善便秘、消除口腔异味，对面部色斑、黑斑以及女性脸上的青春痘有一定的缓解治疗作用。清肠还可以清除一些肠道脂肪，轻身健体，预防大肠癌变，增强人体免疫力。

清肠排毒方法有很多种，有饮食排毒、运动排毒、断食排毒和精神排毒等。

饮食排毒：多喝水，多吃膳食纤维、蔬菜和水果。

运动排毒：只要坚持运动，可以达到良好的排毒效果。

断食排毒：断食并不是什么都不吃，而是禁食固态食物，另以清水代之。

精神排毒：赶走抑郁、焦虑和压力，保持乐观、开朗、心情舒畅。

健康风向标

如果你想让胃肠清洁，还有一个好的办法就是敲胃经，这样可以增强胃肠的抵抗力，另外还要注意不要经常在外面吃饭，尽量在家吃或者到有卫生保证的餐馆吃饭。

睡觉其实也是一门学问

女性生活馆

同宿舍的一个女孩因为胖，所以我们大家都叫她"胖妞"，说来也怪，其实胖妞吃得并不多，还不如我们这些"电线杆"吃得多，可就不知道怎么回事，肥肉就一个劲地往她身上贴，真是应了那句话："胖人喝口凉水都会长胖。"她也不服气，去医院想问个究竟，经过检查，并没有什么"器质性病变"，然后医生问起她的生活习惯，她说："我吃得不多，一般都是两三点才睡觉，直到第二天中午才会爬起来，其他就没什么特别的了。"医生告诉她，她的胖完全是由于不按时睡觉，造成经络功能紊乱引起的，她这才恍然大悟，原来不按时睡觉也会使人发胖。

睡眠是人类生命活动中十分重要、不可缺少的生理现象，人的一生中约有1/3的时间是在睡眠中度过的。睡眠对人体的重要性不亚于饮食。著名生理学家巴甫洛夫曾经作过一个有趣的试验，他把三只猴子分别装进三个铁笼里。对第一只猴子按时供应吃喝，但在笼子里安装了数个电铃，且昼夜不停地响，使猴子不能睡觉；对第二只猴子只给饭吃而不给水喝；第三只猴子不给饭吃，只给水喝。结果，第一只有吃有喝的猴子不到3天就死了，第二只猴子活了5天就死了，第三只猴子活了7天才死。

这个实验充分证明了，睡觉比喝水重要，喝水比吃饭重要。虽然，饮食和睡眠对人与动物来说，都不可缺少，但至少说明三者对生命的影响有所不同。因此，讲究养生，就要充分重视睡眠，只有睡眠充足，人体的经络功能才不会紊乱，才能保持正常的工作状态。

睡眠是人类消除疲劳，保持身体健康的生理功能之一。睡觉也是一门学问，下面就是保证睡眠的几个要素，一定要记牢。

1. 子时大睡，午时小憩

所谓子午觉，就是晚上子时（23点到凌晨1点）进入熟睡，白天在午时（11点到13点）午休。如此可提高睡眠质量，起到事半功倍的作用。

夜半子时为阴阳大合，水火交融之际，所以此时熟睡，效果最好。

午时为日中，阳气盛（阳生阴尽），此时称为"合阳"，阳虚的人、不上班的人午时多睡一会儿可以养阳；阳不虚的人、要工作的人，在午时小憩30分钟以养阳。

所以子午觉的原则是：子时大睡，午时小憩（小憩即静卧或静坐30分钟即可），千万不要反其道而行之，子时开夜车，午时睡大觉，这样违反了自然规律，对身体无益。

2. 睡眠要顺应四季变化

春季：春季3个月，是万物推陈出新的季节。人们应该入夜即睡觉，早一些起床，到庭院中散散步，披开头发，舒展形体，使情志活泼，充满生机。

夏季：夏季是万物繁荣秀丽的季节。人们应该晚些睡觉，早些起床，应该精神愉快，不要发怒，使体内阳气能够向外宣发，这就是适应夏天的调养。

秋季：秋季要早睡早起，像雄鸡一样，天黑就睡，天亮就起，使意志安逸宁静，来缓和秋天肃杀气候对人体的影响。不让意志外驰，使肺气保持清静。如果违反了，就要损伤肺气，到冬天容易生泻泄病。

冬季：冬季是万物生机潜伏闭藏的季节，人们不要扰动阳气，应该早些睡觉，晚些起床；最好等到日出再起，使意志好像埋伏般地安静。避严寒，保温暖，不要使皮肤开泄出汗；否则就要损伤肾气，到来年夏天，就要发生痿厥之病。

3. 睡前减慢呼吸节奏

第一，呼吸节奏减慢了，心跳自然减慢，那么气血运行、生命活动都可缓和下来，然后才能安然入睡。

第二，睡前可以适当静坐、散步，或看慢节奏电视、听舒缓的音乐等，使身体逐渐入静。静则生阴，阴盛则寐。

第三，最好的办法是躺在床上做 5 分钟静气功，从而做到精神内守。入睡后，睡眠质量才会好。

4.睡前吃一点儿养心阴食品

睡前可以吃一点儿养心阴的东西，可帮助精神内守，如冰糖莲子羹、小米红枣粥、藕粉，或桂圆肉、百合，或一杯牛奶、一块茯苓夹饼等。因为人睡觉后，五脏仍在辛苦地工作着，在五脏中，心脏最辛苦，所以适当地补益心阴将有助于健康。

5.睡前用温水泡脚入睡最好

如果睡前用温水泡脚，再辅以足部按摩，尤其是涌泉穴，效果最佳。因为这样可以促进心肾相交，心肾相交意味着水火既济，对阴阳相合有促进作用，阴阳合抱，睡眠当然达到最佳境界。

6.按摩促进睡眠的穴位

（1）涌泉（足底前 1.3 寸中心凹陷处）。

（2）内关（手腕横纹上 3 寸，两肌腱之间凹陷处）。

（3）足三里（外膝眼下 3 寸）。

7.避免饥饿入睡

睡前如感到饥饿，应适当吃一点儿东西再睡。

健康风向标

做梦是人的生理本能，我们不必为自己做了美梦而欣喜万分，也不必为做了噩梦而沮丧。因为，做梦本身对人及睡眠都有一定的益处，除非你夜夜惊梦不得安眠。果真如此的话，则应找专家看看。

后 记

一本著作的完成需要许多人默默贡献，闪耀的是集体的智慧。其中包含着许多艰辛的付出，凝结着许多辛勤的劳动和汗水。

本书在策划和编写过程中，得到了许多同行的关怀与帮助，及许多老师和作者的大力支持，在此向以下参与本书编写的人员致以诚挚的谢意：廉勇、欧红梅、周珊、张艳红、柳絮恒、赵一、赵红瑾、齐红霞、齐艳杰、陆晓飞、赵广娜、徐春艳、王非庶、李秀敏、王杰、张保文、李亚莉、何瑞欣、杜莉萍、李卫平、李敏、梁素娟、许庆元、姚迪雷、毛定娟、尹娜、王巧、杨婧、王娟娟、张艳芬、许长荣、王爱民、李琳、李伟楠、王鹏、罗华杰、武敬敏、甘艳河、阎妍妍、杨英、罗婷婷、李良婷、上官紫薇、杨艳利、于海英、曹慧利、肖冬梅、张乃奎、王源、杨巍、刘瑞杭、刘红强。

本书在编写过程中，借鉴和参考了大量的文献和作品，从中得到了不少启发，也汲取了其中的智慧精华，谨向各位专家、学者表示崇高的敬意——因为有了大家的努力，才有了本书的诞生。

由于编写和出版时间仓促，以及编者水平所限，书中不足之处在所难免，诚请广大读者指正，特驰惠意。

图书在版编目（CIP）数据

女人经络使用手册/赵广娜，宿春君编著. —哈尔滨：哈尔滨出版社，2008.4

ISBN 978-7-80753-241-5

Ⅰ.女…　Ⅱ.①赵…②宿…　Ⅲ.女性-经络-手册　Ⅳ.R224.1-62

中国版本图书馆CIP数据核字(2008)第034694号

责任编辑：曲　晶　李英文
封面设计：武晓强

女人经络使用手册

赵广娜　宿春君　编著

哈尔滨出版社出版发行

哈尔滨市香坊区泰山路 82-9 号

邮政编码：150090　营销电话：0451-87900345

E-mail：hrbcbs@yeah.net

网址：www.hrbcbs.com

全国新华书店经销

黑龙江省教育厅印刷厂印刷

开本 710×1000 毫米　1/16　印张 14　字数 180 千字
2008 年 6 月第 1 版　2008 年 6 月第 1 次印刷
ISBN 978-7-80753-241-5
定价：29.80 元

版权所有，侵权必究。举报电话：0451-87900272
本社常年法律顾问：黑龙江大公律师事务所徐桂元　徐学滨